Julie Ronquillo

Méthode de français pour adolescents

NIVEAU 2

LIGNE DIRECTE A2.1

CD AUDIO INCLUS

Valérie Lemeunier
Sophie de Abreu
Julien Cardon
Marie-Hélène Le Gall
Stéphane Paroux
Alice Reboul

didier

Table des crédits photographiques

Page	Position	Crédit
9	bd	Christian Heeb/hemis.fr
9	bg	Jin Shizi/Imagine China/Photononstop
9	hd	Imagebroken/hemis.fr
9	hg	Yves Talensac/Photononstop
10	bg	Jason Horowitz/Corbis
10	hg	Darko Zivkovic - Fotolia.com
10	hg	Dmitriy Melnikov - Fotolia.com
10	hg	2006 James Steidl James Group Studios inc. - Fotolia.com
11		Oridji - Fotolia.com
12		Roger Rozencwajg/Photononstop
12	bd	Walter Zerla/age fotostock
14	bg	Michael Boys/Corbis
14	bd	Adrian Sherratt/Alamy/hemis.fr
14	hd	Nigel Blythe/Alamy/hemis.fr
14	hg	Tibor Bognar/Photononstop
15	bd	Nick Hanna/Alamy/hemis.fr
15	bg	Paul Hill - Fotolia.com
15	hd	Elizabeth Whiting & Associates/Alamy/hemis.fr
15	hg	D. Hurst/Alamy/hemis.fr
17	bd	Jon Arnold/hemis.fr
17	bg	Hervé Hughes/hemis.fr
17	hd	Bruno Barbier/hemis.fr
17	hg	Ludovic Maisant/hemis.fr
17	mg	Philippe Bedy/hemis.fr
19		Creative Crop/Digital Vision/GettyImages
19		Ross Durant Photography/Brand X Pictures/ GettyImages
19		robynmac - Fotolia.com
19		moonrun - Fotolia.com
19		James Steidl - Fotolia.com
19		Alexandra Thompson - Fotolia.com
19		Johann2000 - Fotolia.com
19		Elodie Tessier
19		Andre - Fotolia.com
19		Yves Beaujard © La Poste
19		Tom Schneider/age fotostock
20		Jacques Loic/Photononstop
22	bg	Juice Images/AGE Fotostock
22	bm	Brigitte Lambey - Fotolia.com
22	hd	khz - Fotolia.com
22	hg	Sammy - Fotolia.com
22	hm	Hans Pfleger/AGE Fotostock
22	mm	S. Villegier/Hoa-Qui/Gamma-Rapho
23	bd	Freefly - Fotolia.com
23	bg	Greg Blomberg- Fotolia.com
23	bm	Philippe Devanne - Fotolia.com
23	hd	Sam Shapiro - Fotolia.com
23	hg	DWP - Fotolia.com
23	hm	Rui Araujo - Fotolia.com
27		Image Source Ltd/age fotostock
28		Beboy - Fotolia.com
28		NLshop - Fotolia.com
29		Aurélia Galicher
30		Cécile Schwartz
30	bd	Blickwinkel/Alamy/hemis.fr
30	bm	Boomer Jerritt/AGE Fotostock
30	hg	Bertrand Gardel/hemis.fr
30	hg	Colorblind Images/GettyImages
31	bd	Remy Masseglia - Fotolia.com
31	bg	Olivier Tuffé - Fotolia.com
31	bm	Clarence Alford - Fotolia.com
31	hd	Axelle Bader - Fotolia.com
31	hg	Tyler Olson - Fotolia.com
31	hm	AlexQ - Fotolia.com
32		NLshop - Fotolia.com
32		WinMaster - Fotolia.com
32		Serj Siz`kov - Fotolia.com
32		Fotolia.com
34	bg	Danny Lehman/Corbis
34	hg	Aurélia Galicher
34	md	Directphoto.org/Alamy/hemis.com
35	hd	Johner/Johner Images/GettyImages
35	hg	Peter Turnley/Corbis
37	bd	Purestock/GettyImages
37	bg	Stockbyte/GettyImages
39		Ebby May/Riser/GettyImages
40		Bruno Delessard/Challenges Réa
43		Ilja Masik - Fotolia.com
43		Daniel Sainthorant - Fotolia.com
43		Unclesam - Fotolia.com
43		Tatyana Parfyonova - Fotolia.com
43		Sebastien Montier
43		Aurélia Galicher
43		Summersgraphicsinc - Fotolia.com
43		Pavel Losevsky - Fotolia.com
44	bg	BLOOMimage/GettyImages
44	hd	Nicolas Tavernier/Réa
45		Karen Koltrane - Fotolia.com
45		qhoto.net - Fotolia.com
45		itomeg - Fotolia.com
45		ddraw - Fotolia.com
45	bd	Philippe Herrmann/Report Digital/Réa
45	bg	Christian Kober/Corbis
45	hg	Stéphane Audras/Réa
47		James Steidl - Fotolia.com
47		Milosluz - Fotolia.com
49		Tetra Images/Corbis
50		Michel-R - Fotolia.com
50		rangiroa - Fotolia.com
50		Eric Isselée - Fotolia.com
50		Eric Isselée - Fotolia.com
50		Chris Fourie - Fotolia.com
50		Photo13 - Fotolia.com
50		Ericos - Fotolia.com
50		www.isselee.com - Fotolia.com
50	bg	Jules Frazier/Photodisc/GettyImages
50	hg	Matthias Breiter/Minden Pictures/GettyImages
52		Kirsty Pargeter - Fotolia.com
52	bd	C Squared Studios/Photodisc/GettyImages
53		cegli - Fotolia.com
53		Nimbus - Fotolia.com
53		Darko Zivkovic - Fotolia.com
53		Eray Haciosmanoglu - Fotolia.com
53		spotlight-studios - Fotolia.com
53		D. Vasques - Fotolia.com
54	bg	Action RE-buts
54	hd	"droits réservés ERP France/Agence Créature"
55	bm	Xavier Desmier/Rapho/Gamma-Rapho
55	hm	Yves Forestier/Corbis
55	mm	Image source/GettyImages
57	bd	pp76 - Fotolia.com
57	bg	sakura - Fotolia.com
57	hd	Pat on stock - Fotolia.com
57	hg	Anyka - Fotolia.com
57	md	Zipo - Fotolia.com
59		Kumar Sriskandan/Alamy/hemis.fr
60	bm	Jean-Jacques Cordier - Fotolia.com
60	hd	Santa Clara/Photononstop
60	hg	Gulden Kunter Tikiroglu - Fotolia.com
62		http://www.hammacher.com, DR
62		Jean-Jacques Cordier - Fotolia.com
62		HP_photo - Fotolia.com
62	hg	Inti St Clair/Blend Images/GettyImages
63		Aleksandar Radovanov - Fotolia.com
63		Pierre Brillot - Fotolia.com
63		Uolir - Fotolia.com
63		AAlexey Astakhov - Fotolia.com
63		Christa Eder - Fotolia.com
63		Soundsnaps/Fotolia.com
63		dudek - Fotolia.com
64	bd	Aisa/Leemage
64	bg	Isolated Objects/Alamy/hemis.fr
64	hd	Wikimedia Commons, DP
64	hg	INTERFOTO/Alamy
65	bd	Aisa/Leemage
65	bg	Art Directos & Trip/Alamy/hemis.fr
65	hd	akg-images
65	hg	akg-images
65	hm	Michael Ventura/Alamy/hemis.fr
67	bd	Dan Hallman/Phographer's Choice/ GettyImages
67	bg	JGI/Jamie Grill/blend Images/Photononstop
82		ddraw - Fotolia.com

Table de références des textes

8 Porfolio européen des langues (p. 17 et 18) © ENS/CIEP/Editions Didier

55 « Monsieur Toutlemonde » paroles et musique de Guillaume Aldebert - Arrangments de Jean-Cyril Masson/Christophe Darlot/Cédric Desmazière/Damien Currin) - (C) Warner Chappell Music France et Make Sense - 2008

Table de références des sons

Piste 26 « Monsieur Toulmonde » paroles et musique de Guillaume Aldebert - Arrangments de Jean-Cyril Masson/Christophe Darlot/Cédric Desmazière/Damien Currin) - (C) Warner Chappell Music France et Make Sense - 2008

Illustrations :

Unter : p. 11, 13, 21, 23, 31, 32, 33, 41, 43, 51, 53, 60, 61, 63
Dom : p. 24, 25, 38, 42, 68
Stéphane Girod : p. 52
Laurence Heredia : p. 10, 19, 20, 22, 30, 32, 45, 50, 60.

Conception maquette et couverture : Laurence Heredia

Mise en pages : Avis de passage

Photogravure : MCP

Enregistrements, montage et mixage : En melody

ISBN 978-2-278-06920-0

Imprimé en Italie

Achevé d'imprimer en janvier 2011 par GRAFICA VENETA - Dépôt légal : 6920/01

AVANT-PROPOS

Bienvenue sur Ligne directe !

Tout au long de cette grande aventure, tu vas découvrir le français et, à chaque étape, tu vas progresser. Avec tes camarades tu vas réaliser des actions, relever des défis. Tu vas découvrir d'autres manières de penser, de vivre pour mieux apprécier les autres. Ton professeur sera là pour te guider et tous ensemble, grâce à ton énergie et à ton engagement, vous réussirez cette mission !

Embarquement immédiat sur Ligne directe !

Les auteurs

TABLEAU DES CONTENUS

Unité	Tâche finale	Objectif de communication	Interculturel
1	Organiser un concours « Les 7 plus beaux sites du monde »	◆ Situer dans l'espace ◆ Demander un chemin ◆ Indiquer un chemin ◆ Caractériser ◆ Comparer (1)	Des intérieurs d'ici et d'ailleurs
2	Fabriquer une mallette pour présenter son pays	◆ Exprimer un souhait ◆ Parler d'une activité en cours ◆ Parler d'une activité récente ◆ Parler d'une activité à venir ◆ Programmer ◆ Inviter / Accepter / Refuser ◆ Exprimer l'appartenance ◆ Caractériser une personne (1)	Des stéréotypes d'ici et d'ailleurs
3	Faire une interview	◆ Demander des informations (1) ◆ Raconter un fait passé ◆ Parler de la quantité ◆ Caractériser une personne (2) ◆ Demander un avis ◆ Donner un avis	Des fêtes : ici et ailleurs
4	Participer à un tournoi interclasse	◆ Exprimer l'interdiction ◆ Exprimer l'obligation ◆ Exprimer la possibilité ◆ Raconter des faits passés ◆ Nier	Des collèges : d'ici et d'ailleurs
5	Créer une affiche : « les éco-gestes au collège »	◆ Indiquer la cause ◆ Indiquer la conséquence ◆ Donner des précisions ◆ Faire des propositions ◆ Comparer (2) ◆ Exprimer son mécontentement	L'écologie : ici et ailleurs
6	Monter une exposition photo sur les années 2000	◆ Décrire une situation passée ◆ Demander des informations (2) ◆ Donner des informations	La mythologie d'ici et d'ailleurs

Grammaire	Lexique	Phonétique
✦ Les prépositions de lieu ✦ Les pronoms relatifs : *qui, où* ✦ L'impératif ✦ Les comparatifs (1)	✦ La ville ✦ Les transports ✦ Les pièces de la maison ✦ Les meubles	L'opposition [t] / [d] L'opposition [i] / [e] / [ɛ]
✦ Le conditionnel des verbes : *aimer, vouloir, souhaiter* ✦ *En train de* + infinitif ✦ *Venir de* + infinitif ✦ Le futur proche ✦ Le futur simple ✦ Les pronoms : *le, la, les* ✦ Les verbes : *pouvoir, vouloir* ✦ Les adjectifs possessifs	✦ Les caractères (1) ✦ La correspondance ✦ L'invitation	L'opposition [e] / [ø] L'opposition [w] / [ɥ]
✦ L'interrogation ✦ Le passé composé ✦ L'accord du participe passé avec le verbe *être* ✦ Les indéfinis : *quelques, chaque, plusieurs, tout, tous, toute, toutes*	✦ Les caractères (2) ✦ Les activités ✦ Internet ✦ La fête	L'opposition [ø] / [œ] L'opposition masculin / féminin
✦ *Il est défendu / interdit de…* ✦ *Il faut / devoir* + infinitif ✦ *Pouvoir* + infinitif ✦ *Avoir le droit/la possibilité de* + infinitif ✦ L'accord du participe avec les pronoms : *le, la, les* ✦ La négation : *ne pas, ne…rien, ne… personne, ne… jamais* ✦ Le pronom : *y*	✦ Le collège ✦ Les cours ✦ La vie scolaire	Les liaisons avec [t] / [d] / [n] L'opposition [b] / [v]
✦ La cause : *à cause de, parce que* ✦ La conséquence : *donc, c'est pour ça que* ✦ *Il faudrait/on devrait* + infinitif ✦ Les comparatifs (2) ✦ Les relatifs : *qui, que, où* (2)	✦ L'environnement ✦ Les déchets ✦ Le tri ✦ Le recyclage ✦ Les animaux	L'opposition [õ] / [ɑ̃] / [ɛ̃] Les doubles consonnes
✦ L'imparfait ✦ L'expression du temps : *avant, autrefois, dans le temps…* ✦ Le pronom : *en*	✦ Les objets courants ✦ La mythologie ✦ Le musée	Le « e » muet L'opposition [k] / [g]

PAGE D'OUVERTURE

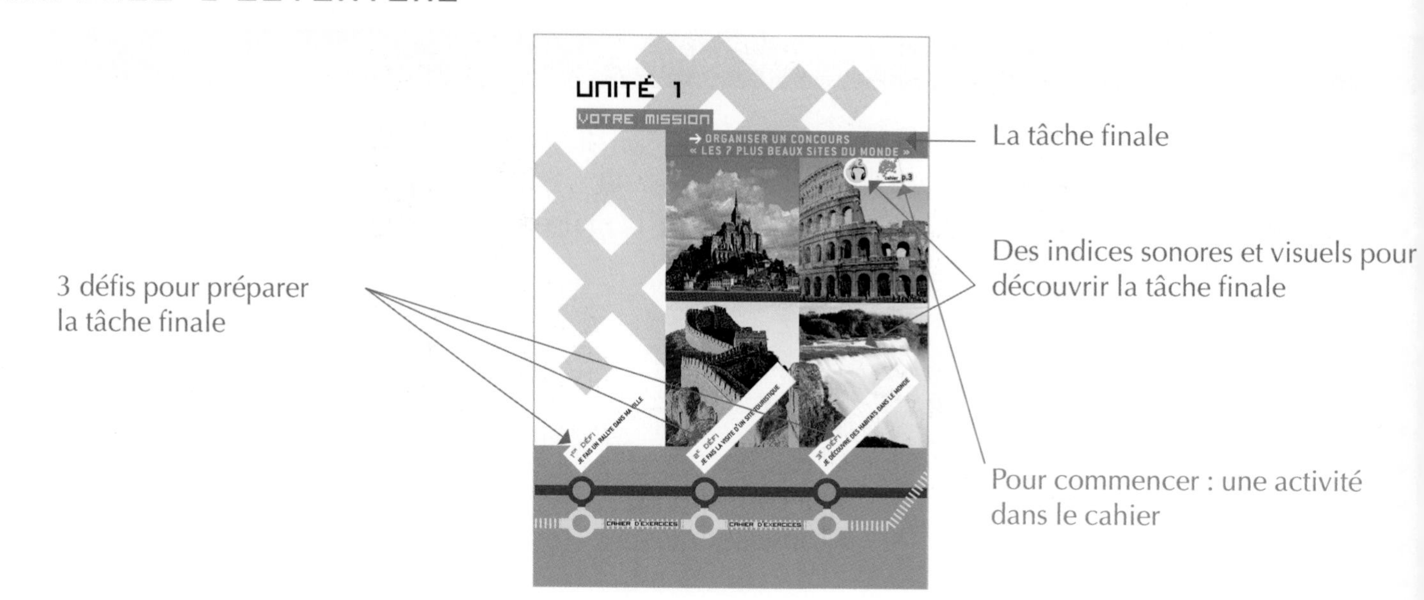

DEUX DÉFIS LANGAGIERS

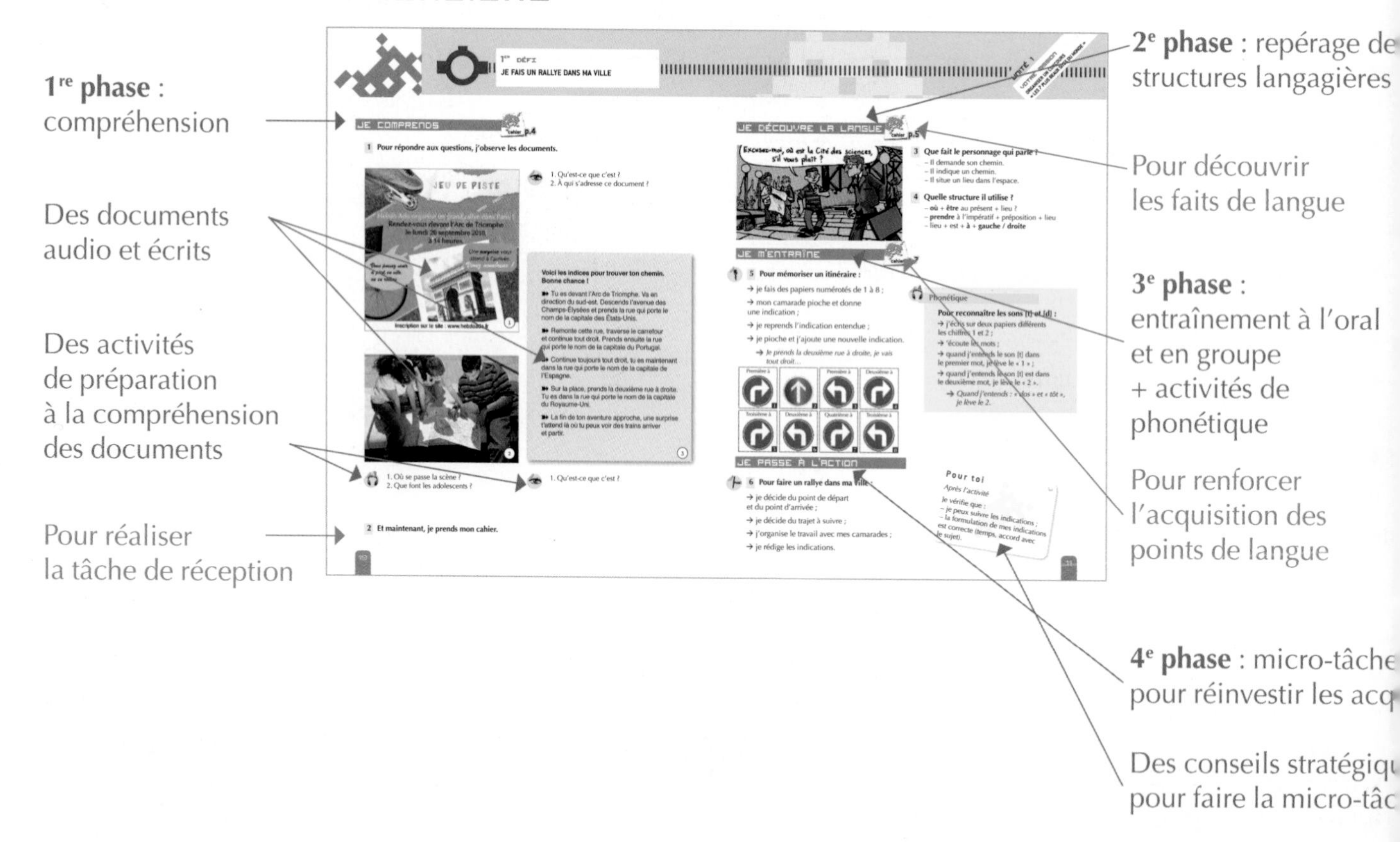

Écouter

Parler

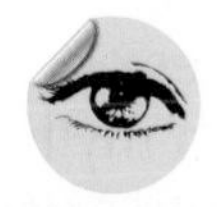
Lire / Observer

Écrire

Travailler en groupe

UN DÉFI INTERCULTUREL

Découverte de réalités françaises et internationales

Pour comprendre les documents

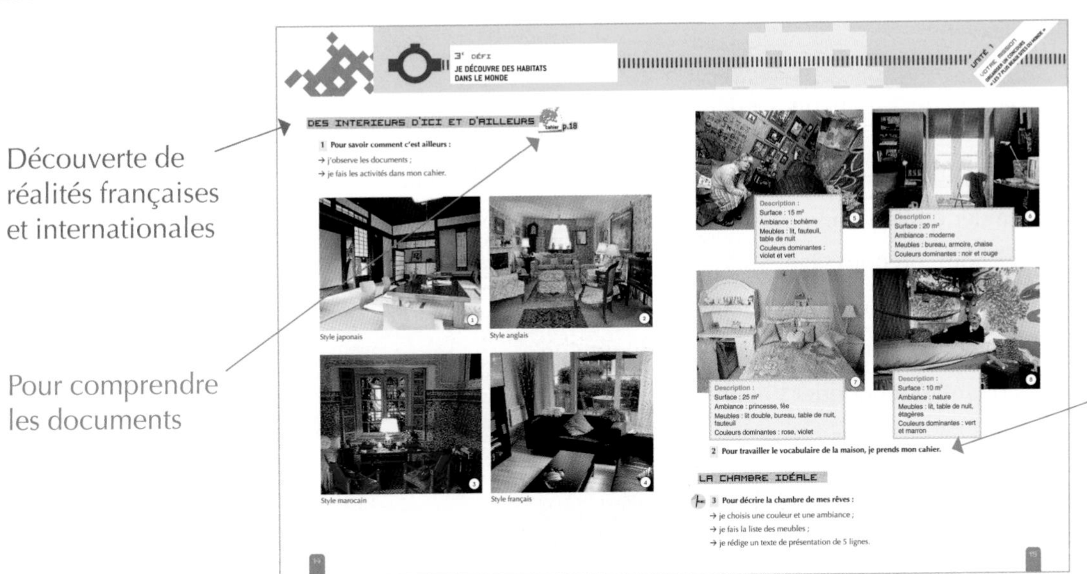

Pour enrichir son vocabulaire

LA MISSION

La tâche finale

Des tableaux de référence (grammatical et lexical)

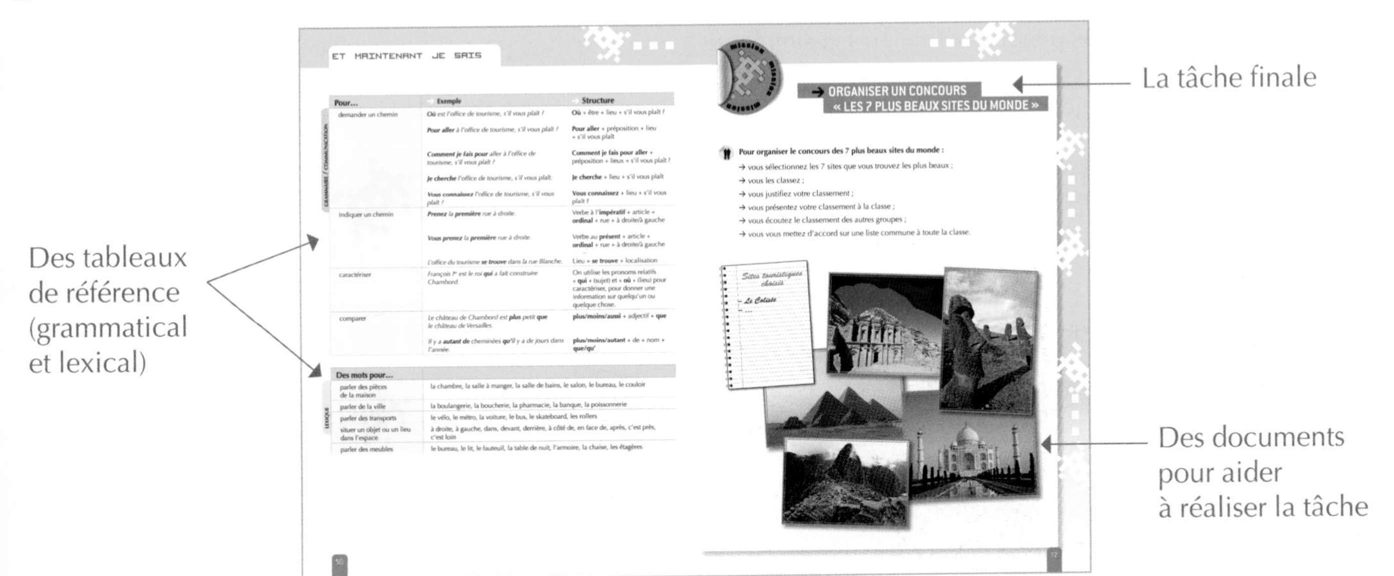

Des documents pour aider à réaliser la tâche

L'ÉVALUATION

Une évaluation sous forme ludique des acquis

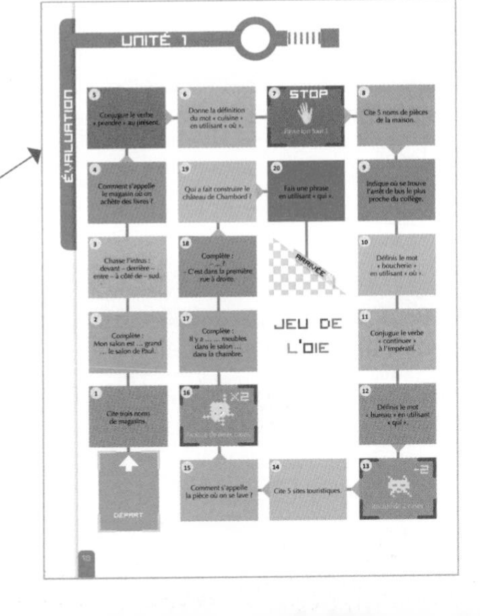

Pour t'aider : **les annexes**

- Des transcriptions de tous les documents oraux
- Un précis grammatical
- Un tableau des conjugaisons
- Un alphabet phonétique
- Un lexique traduit

Parler avec quelqu'un	☹	😐	☺ +	☺ ++	☺ +++
Je peux dire qui je suis, où je suis né(e), où j'habite et demander le même type d'informations à quelqu'un.					
Je peux dire ce que je fais, comment je vais et demander à quelqu'un de ses nouvelles.					
Je peux présenter quelqu'un, saluer quelqu'un.					
Je peux parler de mes proches : nom, prénom, âge, nationalité, profession.					
Je peux demander et donner des informations personnelles.					
Je peux demander ou donner un objet ou un renseignement à quelqu'un.					
Je peux compter, indiquer des quantités et donner l'heure.					
Je peux parler d'une date ou d'un rendez-vous.					

Écouter et comprendre	☹	😐	☺ +	☺ ++	☺ +++
Je peux comprendre des questions sur l'endroit où j'habite, sur ce que je fais, sur les gens que je connais.					
Je peux comprendre des consignes et des indications simples.					
Je peux comprendre des expressions familières et simples de la vie quotidienne (pour accepter, refuser, remercier…).					
Je peux comprendre le sujet d'une histoire courte ou d'un dialogue simple.					

Parler avec quelqu'un : mes astuces	☹	😐	☺ +	☺ ++	☺ +++
Je peux dire que je ne comprends pas et demander de répéter ou de reformuler.					
Quand je ne connais pas un mot, je peux demander comment on le dit et le répéter.					
Je peux demander à quelqu'un d'épeler un mot.					

Écrire	☹	😐	☺ +	☺ ++	☺ +++
Je peux écrire une liste de choses à faire ou à acheter.					
Je peux remplir un formulaire avec mon nom, ma nationalité, mon âge, mon adresse.					
Je peux écrire pour donner de mes nouvelles, dire ce que je fais.					
Je peux écrire sur des gens que je connais, pour dire comment ils vont, ce qu'ils font.					
Je peux demander ou transmettre par écrit des renseignements personnels très simples.					

Lire et comprendre	☹	😐	☺ +	☺ ++	☺ +++
Je peux reconnaître des mots, des expressions et des phrases simples sur une affiche, un journal...					
Je peux comprendre et suivre des indications simples.					
Je peux comprendre un message simple qui m'est adressé, par exemple sur une carte postale.					

Lire et comprendre : mes astuces	☹	😐	☺ +	☺ ++	☺ +++
Je peux essayer de deviner le contenu d'un texte en m'aidant des illustrations.					
Je peux essayer de deviner le sens des mots que je ne connais pas en m'aidant de leur ressemblance avec ma langue ou avec une autre langue que je connais.					

⚠ Document à photocopier.

UNITÉ 1

VOTRE MISSION

→ ORGANISER UN CONCOURS « LES 7 PLUS BEAUX SITES DU MONDE »

2

cahier p.3

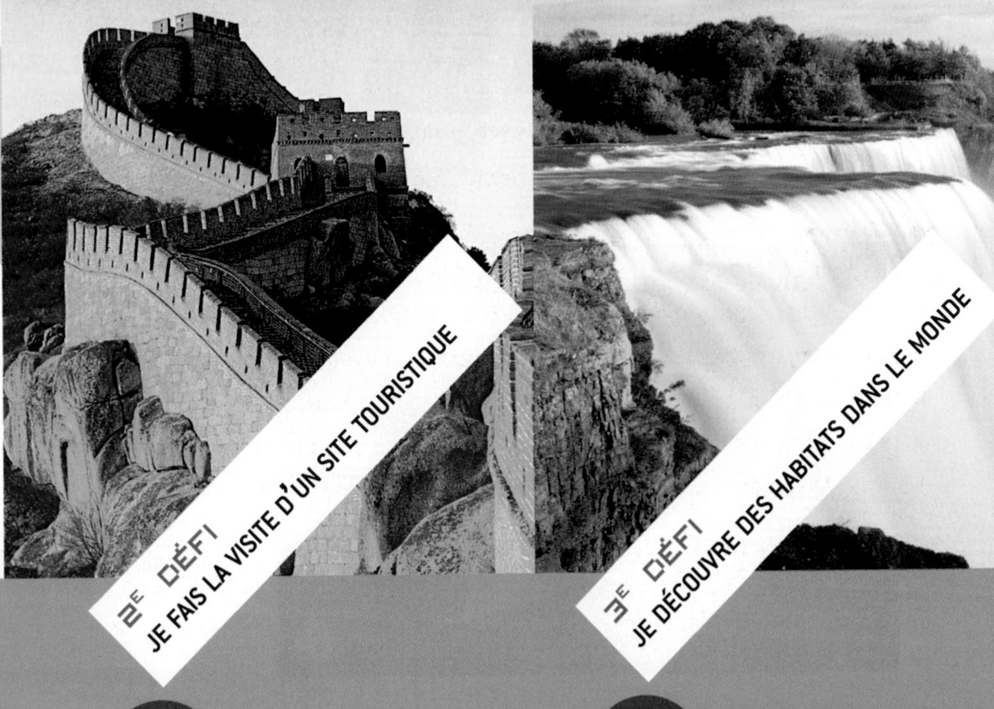

1er DÉFI
JE FAIS UN RALLYE DANS MA VILLE

2e DÉFI
JE FAIS LA VISITE D'UN SITE TOURISTIQUE

3e DÉFI
JE DÉCOUVRE DES HABITATS DANS LE MONDE

CAHIER D'EXERCICES

CAHIER D'EXERCICES

1er DÉFI

JE FAIS UN RALLYE DANS MA VILLE

JE COMPRENDS

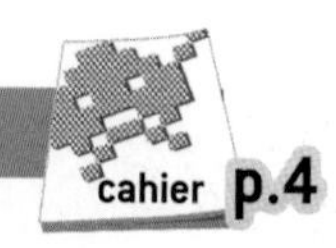

1 Pour répondre aux questions, j'observe les documents.

1. Qu'est-ce que c'est ?
2. À qui s'adresse ce document ?

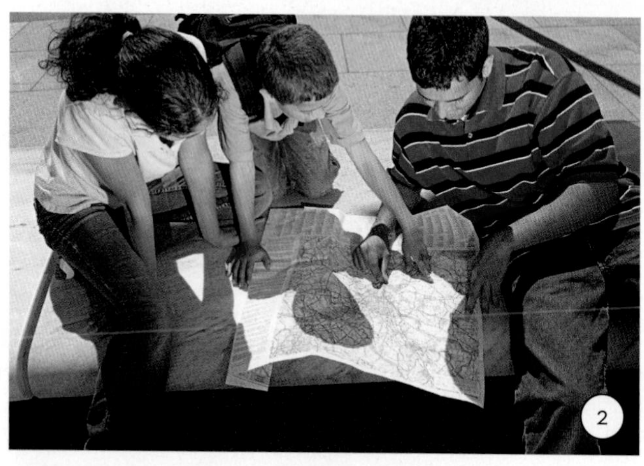

1. Où se passe la scène ?
2. Que font les adolescents ?

Voici les indices pour trouver ton chemin. Bonne chance !

➡ Tu es devant l'Arc de Triomphe. Va en direction du sud-est. Descends l'avenue des Champs-Élysées et prends la rue qui porte le nom de la capitale des États-Unis.

➡ Remonte cette rue, traverse le carrefour et continue tout droit. Prends ensuite la rue qui porte le nom de la capitale du Portugal.

➡ Continue toujours tout droit, tu es maintenant dans la rue qui porte le nom de la capitale de l'Espagne.

➡ Sur la place, prends la deuxième rue à droite. Tu es dans la rue qui porte le nom de la capitale du Royaume-Uni.

➡ La fin de ton aventure approche, une surprise t'attend là où tu peux voir des trains arriver et partir.

3

1. Qu'est-ce que c'est ?

2 Et maintenant, je prends mon cahier.

JE DÉCOUVRE LA LANGUE

cahier p.5

3 Que fait le personnage qui parle ?

– Il demande son chemin.
– Il indique un chemin.
– Il situe un lieu dans l'espace.

4 Quelle structure il utilise ?

– **où** + **être** au présent + lieu ?
– **prendre** à l'impératif + **à** + **gauche / droite**
– lieu + est + préposition + lieu

JE M'ENTRAÎNE

cahier p.7

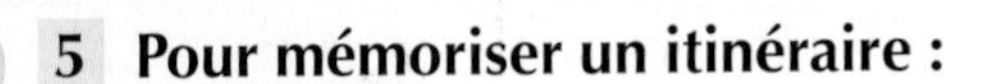

5 Pour mémoriser un itinéraire :

→ je fais des papiers numérotés de 1 à 8 ;

→ mon camarade pioche et donne une indication ;

→ je reprends l'indication entendue ;

→ je pioche et j'ajoute une nouvelle indication.

→ *Je prends la deuxième rue à droite, je vais tout droit…*

Phonétique

Pour reconnaître les sons [t] et [d] :

→ j'écris sur deux papiers différents les chiffres 1 et 2 ;

→ 'écoute les mots ;

→ quand j'entends le son [t] dans le premier mot, je lève le « 1 » ;

→ quand j'entends le son [t] est dans le deuxième mot, je lève le « 2 ».

→ *Quand j'entends : « dos » et « tôt », je lève le 2.*

JE PASSE À L'ACTION

6 Pour faire un rallye dans ma ville :

→ je décide du point de départ et du point d'arrivée ;

→ je décide du trajet à suivre ;

→ j'organise le travail avec mes camarades ;

→ je rédige les indications.

Pour toi

Après l'activité

Je vérifie que :
– je peux suivre les indications ;
– la formulation de mes indications est correcte (temps, accord avec le sujet).

JE COMPRENDS

cahier p.11

1 Pour répondre aux questions, j'observe les documents.

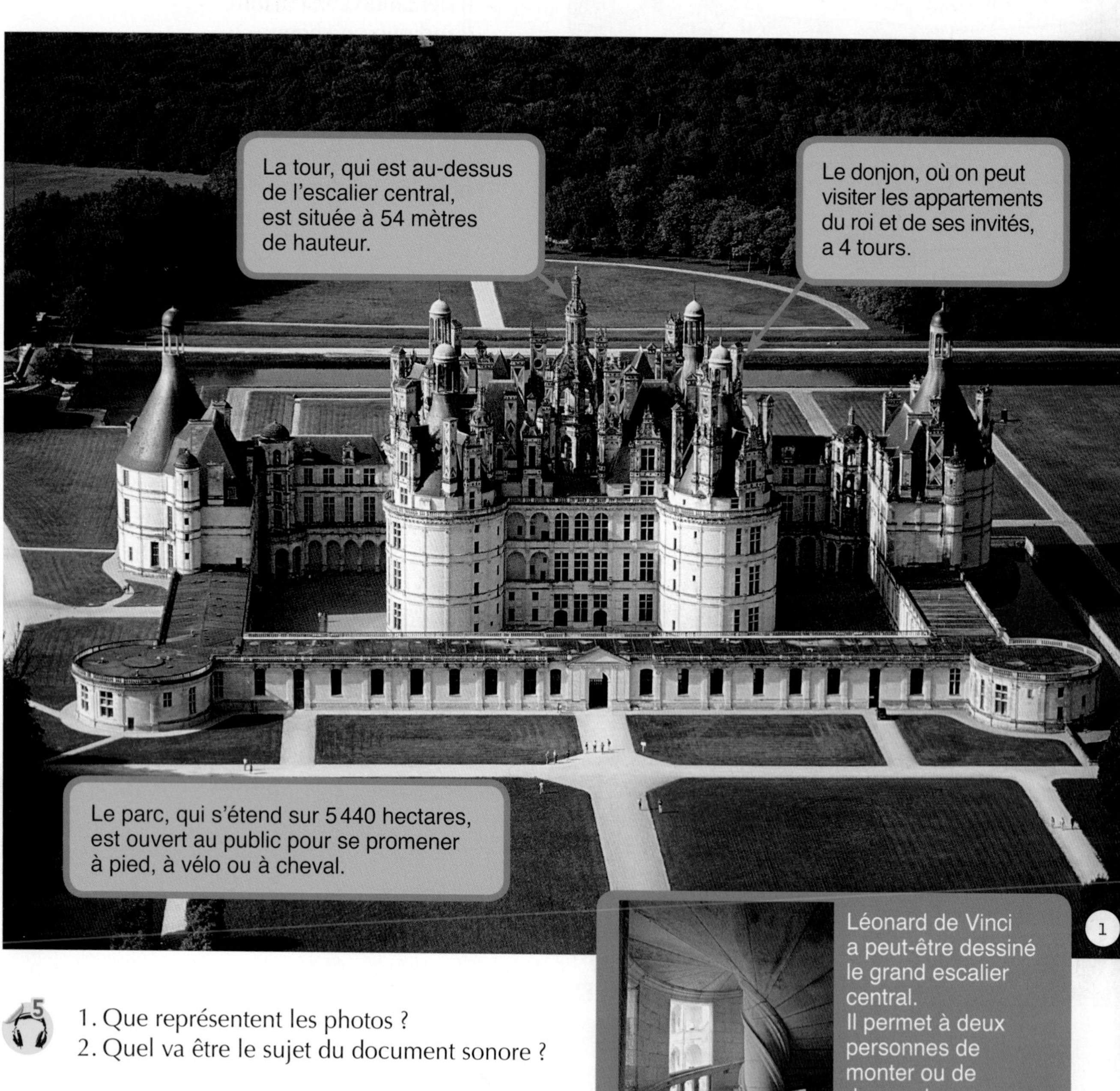

5

1. Que représentent les photos ?
2. Quel va être le sujet du document sonore ?

2 Et maintenant, je prends mon cahier.

JE DÉCOUVRE LA LANGUE

cahier p.12

3 Que fait le personnage qui parle ?

– Il fait une comparaison.
– Il décrit un lieu.
– Il caractérise un lieu.

4 Quelle structure il utilise ?

– lieu + **qui** + verbe
– nom + être + **plus** + adjectif + **que** + nom
– **c'est** + adjectif qualificatif

JE M'ENTRAÎNE

cahier p.14

5 Pour valider une information :

→ mon camarade fait une comparaison avec les éléments du tableau ;

→ je vérifie l'information dans le tableau ;

→ je dis si l'information est vraie ou fausse.

→ *– La tour Jin Mao est plus petite que la tour Burj Khalifa !*
– C'est vrai !

	La tour Eiffel	La tour Jin Mao	La tour Burj Khalifa
Date de construction	1887-1889	1993-1998	2004-2010
Coût de la construction	1 230 770 €	299 280 000 €	1 122 300 €
Hauteur	324 m	421 m	828 m
Nombre d'étages	3	88	162
Nombre d'ascenseurs	2	130	57

6 **Phonétique**

Pour reconnaître les sons [i], [e], [ɛ] :

→ j'écris sur 3 papiers différents [i], [e], [ɛ] ;

→ j'écoute les mots ;

→ quand j'entends [i], je lève le [i] ;

→ quand j'entends [e], je lève le [e] ;

→ quand j'entends [ɛ], je lève le [ɛ].

→ *Quand j'entends « lait », je lève le [ɛ].*

JE PASSE À L'ACTION

6 Pour faire la visite d'un site touristique :

→ je choisis un site touristique ;

→ je choisis 5 étapes pour la visite ;

→ je rédige un texte de 3 lignes sur chaque étape de la visite.

Pour toi

Avant l'activité

– je cherche ou je fais un plan du site choisi ;
– je fais la liste des différentes façons de caractériser un site.

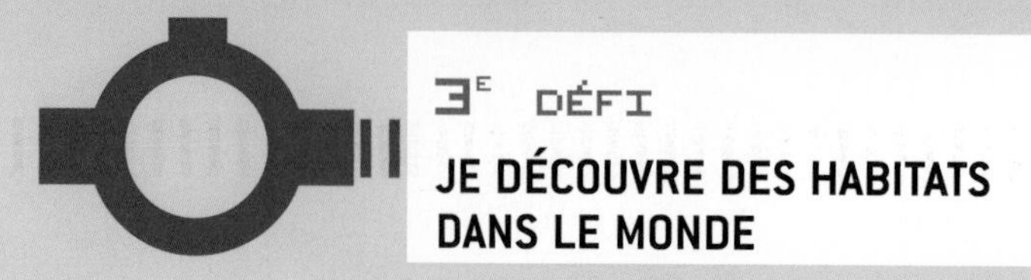

DES INTERIEURS D'ICI ET D'AILLEURS

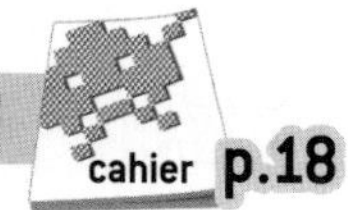

cahier p.18

1 Pour savoir comment c'est ailleurs :

→ j'observe les documents ;

→ je fais les activités dans mon cahier.

Style japonais

Style anglais

Style marocain

Style français

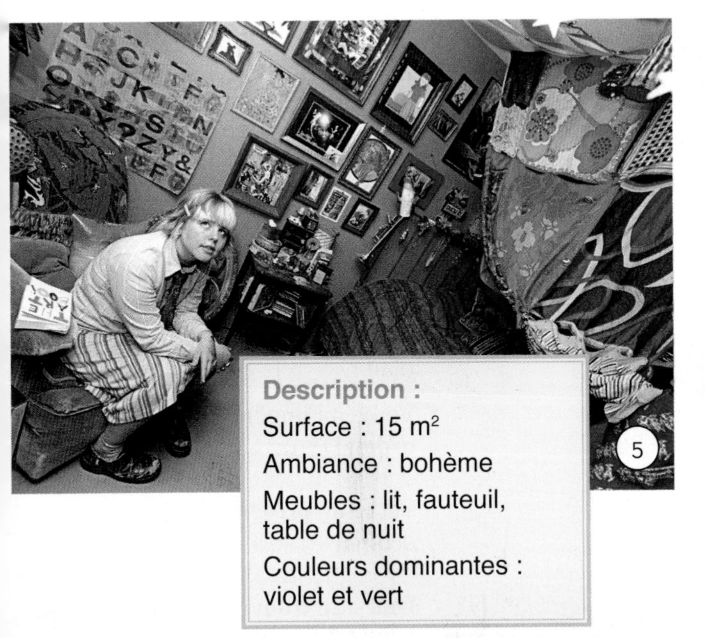

5

Description :
Surface : 15 m²
Ambiance : bohème
Meubles : lit, fauteuil, table de nuit
Couleurs dominantes : violet et vert

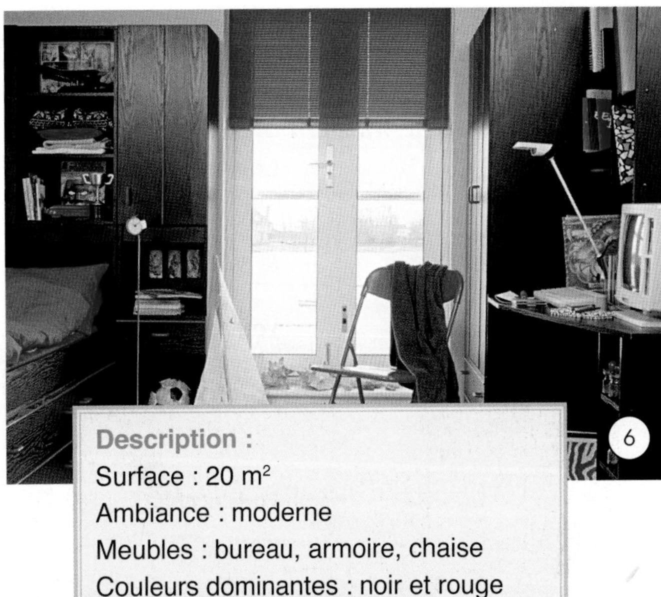

6

Description :
Surface : 20 m²
Ambiance : moderne
Meubles : bureau, armoire, chaise
Couleurs dominantes : noir et rouge

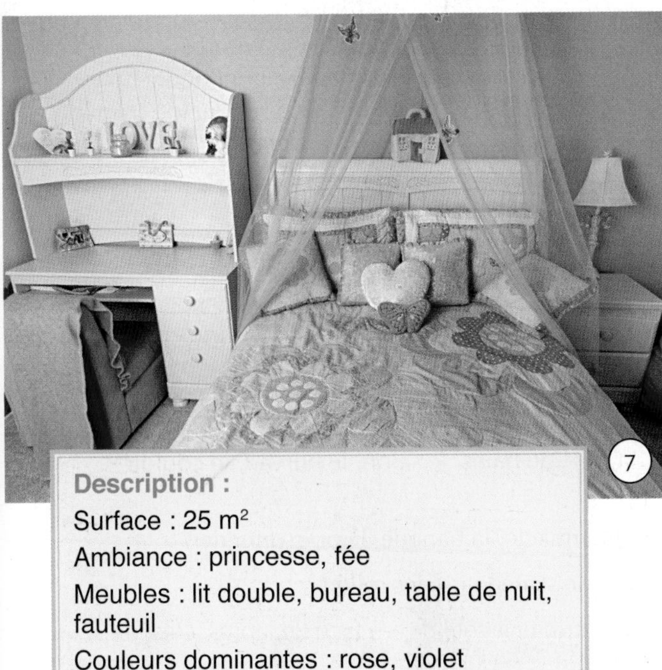

7

Description :
Surface : 25 m²
Ambiance : princesse, fée
Meubles : lit double, bureau, table de nuit, fauteuil
Couleurs dominantes : rose, violet

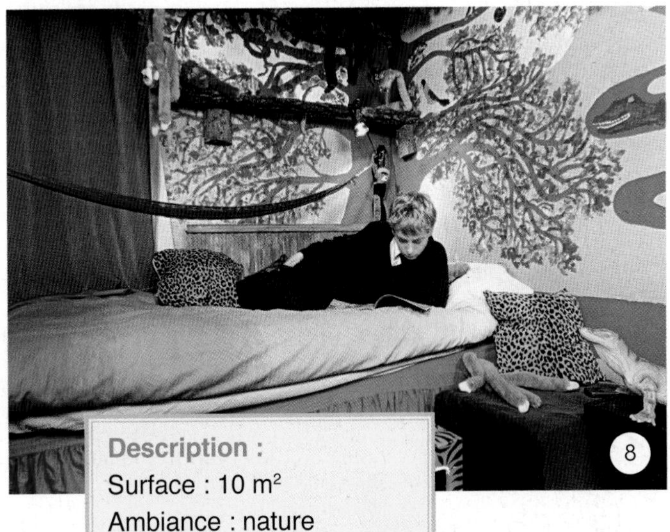

8

Description :
Surface : 10 m²
Ambiance : nature
Meubles : lit, table de nuit, étagères
Couleurs dominantes : vert et marron

2 Pour travailler le vocabulaire de la maison, je prends mon cahier.

LA CHAMBRE IDÉALE

ABC **3 Pour décrire la chambre de mes rêves :**

→ je choisis une couleur et une ambiance ;

→ je fais la liste des meubles ;

→ je rédige un texte de présentation de 5 lignes.

GRAMMAIRE / COMMUNICATION

Pour...	Exemple	Structure
demander un chemin	***Où*** *est l'office de tourisme, s'il vous plaît ?*	**Où** + être + lieu + s'il vous plaît ?
	Pour aller *à l'office de tourisme, s'il vous plaît ?*	**Pour aller** + préposition + lieu + s'il vous plaît
	Comment je fais pour *aller à l'office de tourisme, s'il vous plaît ?*	**Comment je fais pour aller** + préposition + lieux + s'il vous plaît ?
	Je cherche *l'office de tourisme, s'il vous plaît.*	**Je cherche** + lieu + s'il vous plaît
	Vous connaissez *l'office de tourisme, s'il vous plaît ?*	**Vous connaissez** + lieu + s'il vous plaît ?
indiquer un chemin	***Prenez*** *la* ***première*** *rue à droite.*	Verbe à l'**impératif** + article + **ordinal** + rue + à droite/à gauche
	Vous prenez *la* ***première*** *rue à droite.*	Verbe au **présent** + article + **ordinal** + rue + à droite/à gauche
	L'office du tourisme ***se trouve*** *dans la rue Blanche.*	Lieu + **se trouve** + localisation
caractériser	*François Ier est le roi* ***qui*** *a fait construire Chambord.*	On utilise les pronoms relatifs « **qui** » (sujet) et « **où** » (lieu) pour caractériser, pour donner une information sur quelqu'un ou quelque chose.
comparer	*Le château de Chambord est* ***plus*** *petit* ***que*** *le château de Versailles.*	**plus/moins/aussi** + adjectif + **que**
	Il y a ***autant de*** *cheminées* ***qu'****il y a de jours dans l'année.*	**plus/moins/autant** + de + nom + **que/qu'**

LEXIQUE

Des mots pour...	
parler des pièces de la maison	la chambre, la salle à manger, la salle de bains, le salon, le bureau, le couloir
parler de la ville	la boulangerie, la boucherie, la pharmacie, la banque, la poissonnerie
parler des transports	le vélo, le métro, la voiture, le bus, le skateboard, les rollers
situer un objet ou un lieu dans l'espace	à droite, à gauche, dans, devant, derrière, à côté de, en face de, après, c'est près, c'est loin
parler des meubles	le bureau, le lit, le fauteuil, la table de nuit, l'armoire, la chaise, les étagères

→ ORGANISER UN CONCOURS « LES 7 PLUS BEAUX SITES DU MONDE »

Pour organiser le concours des 7 plus beaux sites du monde :

→ vous sélectionnez les 7 sites que vous trouvez les plus beaux ;

→ vous les classez ;

→ vous justifiez votre classement ;

→ vous présentez votre classement à la classe ;

→ vous écoutez le classement des autres groupes ;

→ vous vous mettez d'accord sur une liste commune à toute la classe.

JEU DE L'OIE

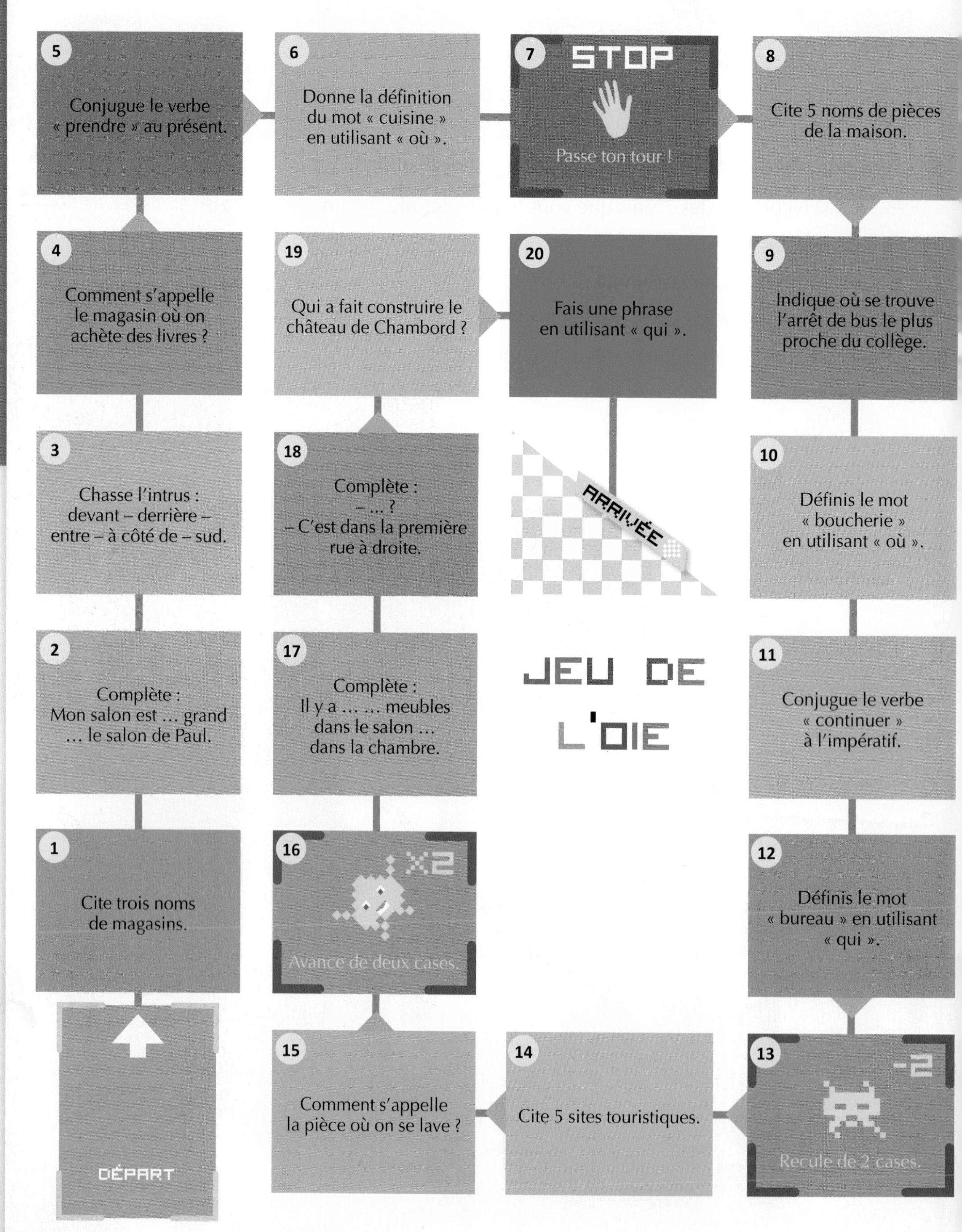
DÉPART
1
Cite trois noms de magasins.
2
Complète :
Mon salon est … grand … le salon de Paul.
3
Chasse l'intrus :
devant – derrière – entre – à côté de – sud.
4
Comment s'appelle le magasin où on achète des livres ?
5
Conjugue le verbe « prendre » au présent.
6
Donne la définition du mot « cuisine » en utilisant « où ».
7
STOP
Passe ton tour !
8
Cite 5 noms de pièces de la maison.
9
Indique où se trouve l'arrêt de bus le plus proche du collège.
10
Définis le mot « boucherie » en utilisant « où ».
11
Conjugue le verbe « continuer » à l'impératif.
12
Définis le mot « bureau » en utilisant « qui ».
13
-2
Recule de 2 cases.
14
Cite 5 sites touristiques.
15
Comment s'appelle la pièce où on se lave ?
16
x2
Avance de deux cases.
17
Complète :
Il y a … … meubles dans le salon … dans la chambre.
18
Complète :
– … ?
– C'est dans la première rue à droite.
19
Qui a fait construire le château de Chambord ?
20
Fais une phrase en utilisant « qui ».
ARRIVÉE

UNITÉ 2

VOTRE MISSION

→ FABRIQUER UNE MALLETTE POUR PRÉSENTER SON PAYS

cahier p.21

1ER DÉFI
JE CHERCHE UN PARTENAIRE DE JUMELAGE

2E DÉFI
JE PRÉPARE UN VOYAGE ORGANISÉ

3E DÉFI
JE DÉCOUVRE DES STÉRÉOTYPES

CAHIER D'EXERCICES

CAHIER D'EXERCICES

1er DÉFI
JE CHERCHE UN PARTENAIRE DE JUMELAGE

JE COMPRENDS

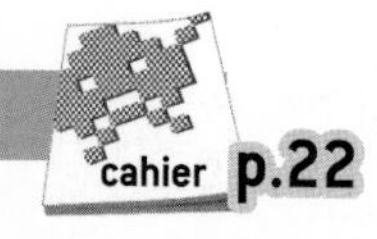
cahier p.22

1 **Pour répondre aux questions, j'observe les documents.**

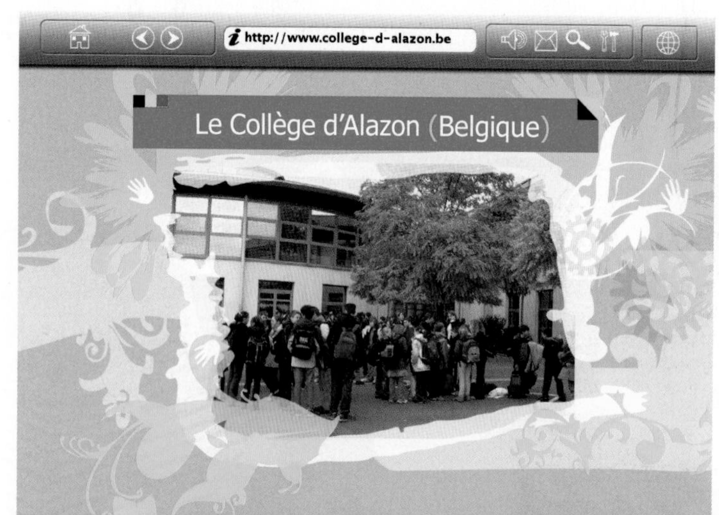

Notre projet d'établissement : nous ouvrir au monde et découvrir d'autres cultures.
Nous sommes un groupe d'élèves du collège d'Alazon en Belgique. Nous sommes en train de travailler sur un projet d'échanges entre des collèges du monde entier. Nous venons d'organiser un voyage au Bénin dans un petit collège de Porto-Novo. Nous allons bientôt recevoir les collégiens béninois pour leur faire connaître notre école et la culture européenne. À cette occasion, nous allons organiser des rencontres sportives, des échanges sur nos cultures, nos traditions, nos systèmes scolaires. Nous aimerions que cette rencontre consolide les liens entre nos continents.

(1)

1. Qu'est-ce que c'est ?
2. Qu'est-ce qu'on voit sur la photo ?

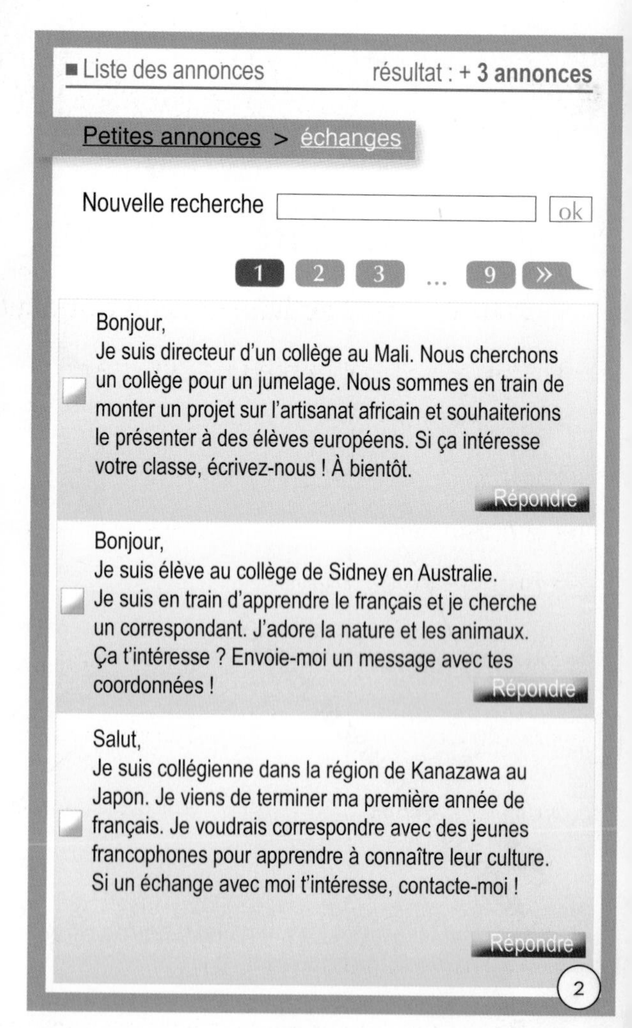
■ Liste des annonces — résultat : + 3 annonces

Petites annonces > échanges

Nouvelle recherche [ ] ok

1 2 3 … 9 »

Bonjour,
Je suis directeur d'un collège au Mali. Nous cherchons un collège pour un jumelage. Nous sommes en train de monter un projet sur l'artisanat africain et souhaiterions le présenter à des élèves européens. Si ça intéresse votre classe, écrivez-nous ! À bientôt.
Répondre

Bonjour,
Je suis élève au collège de Sidney en Australie.
Je suis en train d'apprendre le français et je cherche un correspondant. J'adore la nature et les animaux.
Ça t'intéresse ? Envoie-moi un message avec tes coordonnées !
Répondre

Salut,
Je suis collégienne dans la région de Kanazawa au Japon. Je viens de terminer ma première année de français. Je voudrais correspondre avec des jeunes francophones pour apprendre à connaître leur culture.
Si un échange avec moi t'intéresse, contacte-moi !
Répondre

(2)

1. Qu'est-ce que c'est ?
2. Qui écrit ? À qui ? Pourquoi ?

2 **Et maintenant, je prends mon cahier.**

JE DÉCOUVRE LA LANGUE

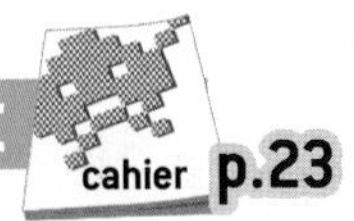
cahier p.23

3 Que fait le personnage qui parle ?

– Il parle d'une activité récente.
– Il parle d'une activité en cours.
– Il parle d'une activité à venir.

4 Quelle structure il utilise ?

– **venir de** + infinitif
– **être en train de** + infinitif
– **aller** + infinitif

JE M'ENTRAÎNE

cahier p.25

5 Pour deviner l'activité de mon camarade :

→ il lance le dé et mime une activité ;
→ je l'observe ;
→ je dis ce qu'il est en train de faire ;
→ il confirme ;
→ on inverse les rôles.

⚀	Envoyer un message	⚃	Écouter de la musique
⚁	Lire un livre	⚄	Téléphoner à quelqu'un
⚂	Préparer sa valise	⚅	Jouer à un jeu de société

8 Phonétique

Pour reconnaître les sons [e] et [ø] :

→ j'écris sur 2 papiers différents [e] et [ø] ;
→ j'écoute les mots ;
→ quand j'entends [e], je lève le [e] ;
→ quand j'entends [ø], je lève le [ø].
→ *Quand j'entends « deux », je lève le [ø].*

JE PASSE À L'ACTION

6 Pour trouver un partenaire de jumelage :

→ je donne des informations sur mon collège ;
→ je donne des informations sur mon pays ;
→ je parle des projets de ma classe ;
→ je dis ce qu'on aimerait faire.

Pour toi

Après l'activité

Je vérifie que :
– j'ai bien répondu à tous les éléments de la consigne ;
– j'ai utilisé les temps qui conviennent pour parler des activités récentes, en cours et à venir.

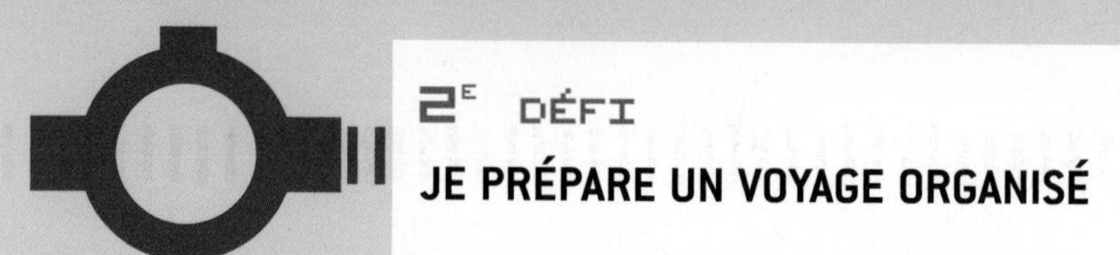

JE COMPRENDS

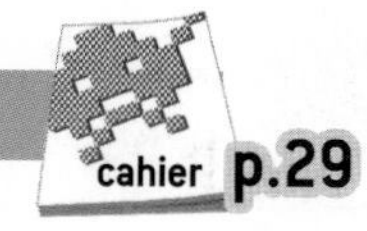
cahier p.29

1 Pour répondre aux questions, j'observe les documents.

Séjour linguistique
Du 29 janvier au 7 février 2010

Vous étudiez le français au collège ou au lycée ?
Vous avez entre 12 et 17 ans ?

Venez passer une semaine à Québec au Canada pour perfectionner votre français.

« Un séjour unique qui vous laissera un souvenir inoubliable. Vous découvrirez la ville en plein hiver à l'occasion du grand carnaval. »

Des cours à l'académie de Québec : vous irez à l'école tous les matins. Les cours auront lieu du lundi au vendredi, à raison de 20 leçons de 50 minutes par semaine.

Des loisirs : chaque après-midi, vous partirez à la découverte des sites touristiques de la ville : les fortifications, l'île d'Orléans, le Vieux-Québec, la terrasse Dufferin. Le samedi, vous irez faire du ski toute la journée et, le soir, vous participerez à une grande soirée organisée par l'équipe d'encadrement. Le dimanche, vous choisirez votre activité.

Pour plus d'informations, nous écrire à :
contact@multi-lingua.fr

(1)

1. Qu'est-ce que c'est ?
2. À qui s'adresse ce document ?

(2)

1. Qu'est-ce qu'on voit sur les photos ?
2. Quel va être le sujet du document sonore

2 Et maintenant, je prends mon cahier.

JE DÉCOUVRE LA LANGUE

cahier p.30

3 Que fait le personnage qui parle ?

– Il invite quelqu'un.
– Il refuse une invitation.
– Il programme une activité.

4 Quelle structure il utilise ?

– tu/vous + **vouloir** au présent + **infinitif** ?
– ça + ne + me/nous + dit rien
– sujet + **futur** + complément

JE M'ENTRAÎNE

cahier p.32

5 Pour savoir ce que mon camarade fera pendant son séjour à Québec :

→ je l'interroge ;
→ il choisit une activité et il répond ;
→ on inverse les rôles.

→ – *Qu'est-ce que tu feras pendant ton séjour à Québec ?*
– *Je me promènerai dans la ville.*

aller à un concert

jouer au foot

visiter les musées

dîner au restaurant

skier

faire du tennis

10 **Phonétique**

Pour reconnaître les sons [w] et [ɥ] :

→ j'écris sur deux papiers différents les signes = et ≠ ;
→ j'écoute les mots ;
→ quand les mots sont identiques, je lève le papier « = » ;
→ quand les mots sont différents, je lève le papier « ≠ ».

→ *Quand j'entends « wouah » et « hua », je lève le papier « ≠ ».*

JE PASSE À L'ACTION

6 Pour organiser un voyage pour de jeunes Français dans mon pays :

→ je choisis des activités ;
→ j'organise le programme de la semaine ;
→ j'écris un message de 10 lignes pour proposer mon programme.

Pour toi

Pendant l'activité :

Je pense à vérifier le temps des verbes et l'accord du verbe avec le sujet.

3[E] DÉFI

JE DÉCOUVRE DES STÉRÉOTYPES

DES STÉRÉOTYPES D'ICI ET D'AILLEURS

cahier p.36

1 Pour découvrir quelques stéréotypes :

→ j'observe les documents ;

→ je fais les activités dans mon cahier.

a. Le râleur
Les Français ne sont jamais contents, ils aiment se plaindre. Il fait toujours trop chaud ou trop froid, c'est toujours trop loin, pas assez bien...

b. L'orgueilleux
Les Français pensent toujours que tout est plus joli en France ! Les touristes français sont blasés et n'apprécient pas toujours les pays extraordinaires qu'ils traversent.

2

c. Le romantique
Les Français sont connus pour être des amoureux romantiques. Invitations, bouquets de fleurs, ils savent séduire les femmes.

d. L'élégant
Les Français soignent leur image, c'est bien connu ! Ils savent s'habiller avec goût. Paris n'est-elle pas la capitale de la mode ?

e. Le gourmand
Quel est le moment le plus important dans la vie d'un Français ? Le repas ! En famille, au travail ou avec des amis, les Français passent beaucoup de temps à table. Et ils adorent faire à manger... une grande partie du vocabulaire de la cuisine dans le monde vient du français.

f. Le radin
À l'étranger, les Français passent pour être de grands radins. Ils ne laissent pas de pourboires et négocient tous les prix des souvenirs !

g. Le cultivé
Les Français adorent les activités culturelles, ils vont dans les musées, voir des expositions, écouter des concerts... Ils peuvent parler pendant des heures de ce qu'ils ont lu ou vu.

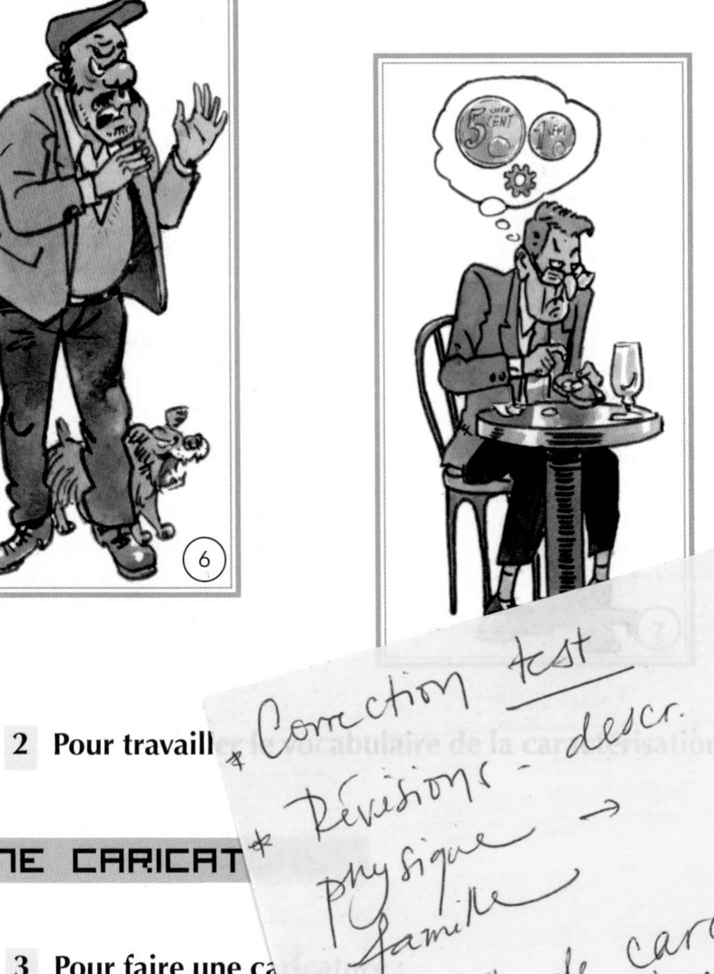

h. Le malpoli
Les Français ne sont souvent pas aimables avec les étrangers. Ils ont aussi la réputation de dire beaucoup de gros mots.

2 Pour travailler le vocabulaire de la caractérisation, je prends mon cahier.

UNE CARICATURE

3 Pour faire une caricature :

→ je choisis un personnage (le collégien, la collégienne, le présentateur télé, le sportif, le chanteur...) ;

→ je le caractérise (3 qualités et 3 défauts) ;

→ je rédige un petit texte de 10 lignes ;

→ je fais un dessin pour accompagner mon texte.

GRAMMAIRE / COMMUNICATION

Pour…	→ Exemple	→ Structure
exprimer un souhait	*J'**aimerais** aller au cinéma.* *Il **voudrait** correspondre avec un français.* *Il **souhaiterait** faire un voyage linguistique.*	**aimer / vouloir/ souhaiter au conditionnel** + infinitif Je, Tu, Il, Nous, Vous, Ils } aimer / souhaiter / voudr } ais, ais, ait, ions, iez, aient
parler d'une activité en cours	*Je suis **en train de** téléphoner.*	**Le présent progressif** **être + en train de/d' +** infinitif
parler d'une activité récente	*Je **viens de** rentrer du Québec.*	**Le passé récent** **venir + de/d' +** infinitif
parler d'une activité à venir	*Je **vais aller** au cinéma ce soir.*	**Le futur proche** **aller +** infinitif
exprimer l'appartenance	***Ma** classe* ***Notre** collège…*	Les adjectifs possessifs sont **: mon, ma, mes, ton, ta, tes, son, sa, ses, notre, nos, votre, vos, leur, leurs.**
inviter quelqu'un	***Ça te dit de** venir avec moi ?* ***Tu veux** aller au cinéma ?* ***Si tu veux**, on peut faire du vélo.*	**ça vous/te dit + de/d' + infinitif** **tu/vous + vouloir** au présent **+ infinitif** **si + tu/vous + vouloir** au présent, **on peut +** infinitif
programmer	*Je trouver**ai** un bon restaurant.* *Tu découvrir**as** la ville.* *Il parler**a** avec les Québécois.* *Nous manger**ons** des gâteaux.* *Vous vous reposer**ez** un peu.* *Ils partir**ont** avec Marc.*	**Le futur simple :** Je + infinitif + **ai** Tu + infinitif + **as** Il + infinitif + **a** Nous + infinitif + **ons** Vous + infinitif + **ez** Ils + infinitif + **ont**
éviter une répétition	*– Tu as vu Marco ?* *– Non, je ne **l'**ai pas vu.*	**le** remplace un nom masculin, **la** un nom féminin et **les** un nom masculin ou féminin pluriel.

LEXIQUE

Des mots pour…	
accepter	C'est une super idée ! OK ! Ça marche !
refuser	Ça ne me/nous dit rien du tout !
caractériser quelqu'un	romantique, râleur, râleuse, radin(e), cultivé(e), malpoli(e), élégant(e), orgueilleux, orgueilleuse, gourmand(e)…

→ FABRIQUER UNE MALLETTE POUR PRÉSENTER SON PAYS

Pour fabriquer une mallette :

→ vous rassemblez des informations importantes sur votre pays ;

→ vous cherchez des objets qui représentent votre pays ;

→ vous choisissez des photos de votre pays ;

→ vous écrivez des légendes pour accompagner vos photos ;

→ vous écrivez une petite lettre d'une dizaine de lignes pour le collège qui va recevoir votre mallette.

Quiz

Culture internationale

La ville de Québec se trouve :
- aux États-Unis.
- en Amérique du Sud.
- au Canada.

abc **Langue**

Pour exprimer un souhait, je complète la phrase.
- J'.......................... beaucoup visiter la France.

Caractères

Quand une personne aime bien manger, on dit qu'elle est :
- gourmande.
- élégante.
- romantique.

abc **Langue**

Pour parler d'une activité à venir. Je peux dire :
- Je vais faire du spo
- Je viens de faire du sport.
- Je suis en train de faire du sport.

abc **Langue**

Conjugue le verbe « partir » au futur simple.

Culture internationale

À Québec, on parle :
- italien.
- français.
- espagnol.

abc **Langue**

Chasse l'intrus :
mon – ses – le – notre – votre – leurs.

Caractères

Quand une personn n'est jamais content on dit qu'elle est :
- radine.
- orgueilleuse.
- râleuse.

Caractères

Chasse l'intrus :
poli – généreux – sympa – prétentieux – défaut.

abc **Langue**

Un copain m'invite au cinéma. Pour accepter, je réponds :
- Ça ne me dit rien du tout !
- Désolée je ne peux pas.
- C'est une super idée !

abc **Langue**

Choisis le pronom qui convient.
« – N'oublie pas tes skis !
– Promis, je ne ... oublie pas. »
- le
- la
- les

Culture internationale

Un pays où on parle français est un pays :
- francophobe.
- francophone.
- francophile.

UNITÉ 3

VOTRE MISSION

→ FAIRE UNE INTERVIEW

11 cahier p.39

1er DÉFI
JE FAIS UNE ENQUÊTE DANS LA CLASSE

2e DÉFI
JE PARTICIPE À UN FORUM DE DISCUSSION

3e DÉFI
JE DÉCOUVRE DES FÊTES DANS LE MONDE

CAHIER D'EXERCICES

CAHIER D'EXERCICES

JE COMPRENDS

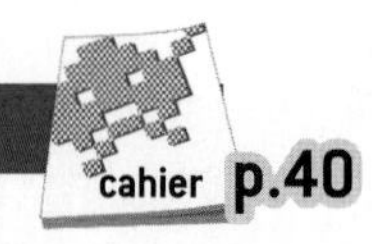

1 Pour répondre aux questions, j'observe les documents.

1. Qu'est-ce que c'est ?
2. Qui est l'homme sur la photo ?
3. Quel va être le sujet du document sonore ?

1. Qu'est-ce qu'on voit sur les photos ?
2. Qui écrit ?

Témoignages d'ado sur leurs expériences insolites

Antoine
Je suis courageux d'habitude, mais là, quand on est suspendu à plusieurs mètres au-dessus du sol, on a le cœur qui s'emballe. Mais finalement ça s'est super bien passé. L'accrobranche, ça vaut vraiment le coup !

Mélanie
La montgolfière est montée lentement, comme un ascenseur. Je suis restée calme, j'ai regardé le paysage. C'est drôle, vu d'en haut, tous les villages ressemblent à des jouets. Certains n'ont pas aimé mais moi, j'ai adoré. Même l'atterrissage s'est fait en douceur.

Carole
Quand on est montées se coucher, on a entendu quelques bruits bizarres. Il ne faut pas croire que c'est calme la nuit dans la forêt. On s'est endormies très tard, c'était super.

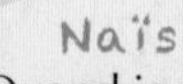

Naïs
Quand je suis arrivée dans la grotte, j'ai eu un peu peur et très froid, mais au fond de la grotte, c'est comme dans un décor de film. J'ai même vu quelques peintures préhistoriques ! Maintenant, j'ai envie de m'inscrire dans un club de spéléo.

Ados, n°157, janvier 2010

2 Et maintenant, je prends mon cahier.

JE DÉCOUVRE LA LANGUE

cahier p.41

3 Que fait le personnage qui parle ?

– Il raconte un fait passé.
– Il demande une information.
– Il indique une quantité.

4 Quelle structure il utilise ?

– sujet + **passé composé**
– interrogatif + **est-ce que** + sujet + verbe ?
– **tout** + nom

JE M'ENTRAÎNE

cahier p.43

5 Pour savoir ce que mes camarades ont déjà fait :

→ je choisis une activité ;

→ j'interroge mon camarade ;

→ il répond, et on inverse les rôles.

→ *– Est-ce que tu as déjà sauté à l'élastique ?*
– Oui, j'ai déjà sauté à l'élastique. /
Non, je n'ai pas encore sauté à l'élastique.

construire un igloo

marcher dans le désert

monter à cheval

escalader une montagne

sauter en parachute

faire du rafting

13

Phonétique

Pour reconnaître les sons [ø] et [œ] :

→ j'écris sur 2 papiers différents [ø] et [œ] ;

→ j'écoute les mots ;

→ quand j'entends [ø], je lève le [ø] ;

→ quand j'entends [œ], je lève le [œ].

→ *Quand j'entends « fleur », je lève le [œ].*

JE PASSE À L'ACTION

6 Pour réaliser une enquête sur les expériences insolites des élèves de la classe :

→ je choisis un thème (gastronomie, visite d'un lieu, sport) ;

→ je prépare 3 questions ;

→ je fais mon enquête dans la classe ;

→ j'échange les résultats de mon enquête avec ceux de mes camamardes.

Pour toi

Pendant l'activité

Pour réaliser mon enquête, je n'oublie pas de prendre des notes qui résument les réponses de mes camarades.

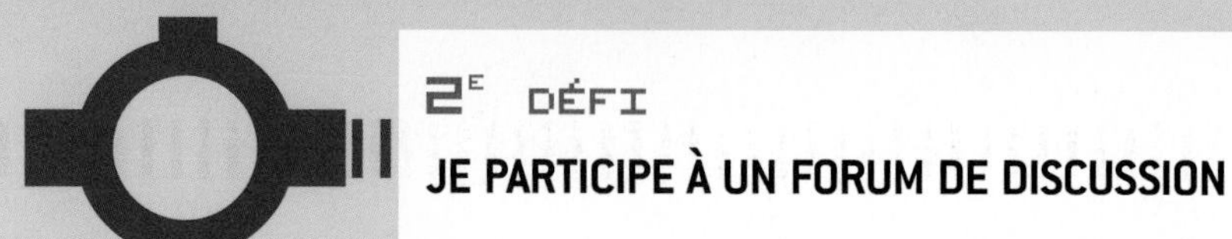

2e DÉFI
JE PARTICIPE À UN FORUM DE DISCUSSION

JE COMPRENDS

cahier p.47

1 Pour répondre aux questions, j'observe les documents.

FORUMADO
Pourou contre ?

Tu es pour ou contre la mise en ligne de tes photos de vacances ?

Répondre

Sacha le 15/12/2010 à 15:46
Contre !! Les photos perso, ça ne se montre pas à n'importe qui.

Tiram le 16 /12/2010 à 09:16
Pour moi, il faut faire attention, mais si ce ne sont pas des photos trop personnelles, ça ne me dérange pas de les montrer aux autres.
Donc je suis plutôt pour.

Auriane le 16 /12/ 2010 à 15:50
Non, non et non ! Je ne suis pas d'accord : on doit garder ses photos sur son ordinateur. Moi, je préfère inviter des copines chez moi et leur montrer. On rigole bien, en plus je peux tout leur raconter, sans le dire aux autres.

Tiph98 le 17 /12/ 2010 à 10:45
C'est vrai. Tu as raison, Auriane. En plus, ça intéresse qui tes photos de vacances ? Qui va aller les voir ? Moi, je ne regarde jamais les photos de vacances des autres : ça m'ennuie.

1

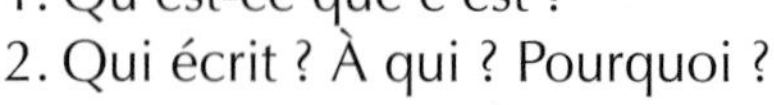

1. Qu'est-ce que c'est ?
2. Qui écrit ? À qui ? Pourquoi ?

2

14

1. Que représente l'illustration ?
2. Quel va être le sujet du document sonore ?

1. Qu'est-ce que c'est ?
2. Que fait le personnage ?

3

2 Et maintenant, je prends mon cahier.

JE DÉCOUVRE LA LANGUE

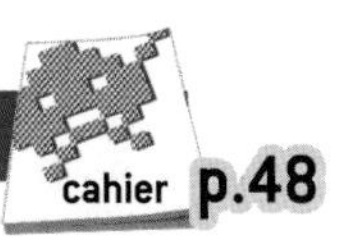
cahier p.48

3 Que fait le personnage qui parle ?

– Il donne son avis.
– Il caractérise une personne.
– Il demande l'avis de quelqu'un.

4 Quelle structure il utilise ?

– sujet + être + **pour ou contre** + nom ?
– sujet + être + adjectif
– sujet + être + **d'accord / pas d'accord**

JE M'ENTRAÎNE

cahier p.50

5 Pour connaître l'avis de mon camarade :

→ je lance le dé ;
→ je l'interroge ;
→ il répond et on inverse les rôles.

→ *– Qu'est-ce que tu penses de la nouvelle console de jeux ?*
– Elle est géniale.

⚀ L'équipe de …	⚃ Le dernier livre de …
⚁ Le dernier film de …	⚄ Le blog de …
⚂ Le dernier disque de …	⚅ La série …

15

Phonétique

Pour produire le féminin à partir du masculin (et vice-versa) :

→ je lis les mots de chaque série ;
→ je choisis un mot dans une série ;
→ je prononce le mot choisi ;
→ mon voisin donne le masculin ou le féminin de ce mot.

→ *Si je dis « amoureuse », mon voisin dit « amoureux ».*

Série 1
dangereux
courageux
malheureux
généreux

Série 2
joueuse
heureuse
peureuse
joyeuse

JE PASSE À L'ACTION

6 Pour participer au forum : « Les réseaux sociaux sont-ils dangereux ? » :

→ j'écris des idées au brouillon ;
→ je choisis une idée ;
→ je rédige mon message ;
→ j'échange ma feuille avec mon voisin ;
→ je donne mon avis sur ce qu'il a écrit et inversement.

Pour toi

Pendant l'activité

Pour réagir à l'opinion de mon voisin, je me pose la question : « Est-ce que je suis d'accord avec lui ? » et si non, je me demande pourquoi.

3e DÉFI
JE DÉCOUVRE DES FÊTES DANS LE MONDE

DES FÊTES ICI ET AILLEURS

cahier p.54

1 Pour savoir comment se passent les fêtes ailleurs :

→ j'observe les documents ;

→ je fais les activités dans mon cahier.

Le Nouvel an chinois est la fête la plus importante pour les communautés chinoises dans le monde entier. Traditionnellement, on fait exploser des pétards, on allume des lanternes et on met des papiers rouges sur les portes pour éloigner Nien, le monstre qui mange les gens la veille du Nouvel an. Il y a aussi un grand défilé. Le dragon danse sur les rythmes du tambour.

« Faites de la musique,
Fête de la Musique »
En 1992, Jack Lang, ministre de la Culture, décide de lancer la première Fête de la Musique. Cette grande manifestation populaire est gratuite, ouverte à tous et a lieu tous les ans le 21 juin. Elle permet aux amateurs et aux professionnels de faire entendre au public tous les genres de musique.

La fête des morts est très importante au Mexique. Pendant 2 jours, le 1er et le 2 novembre, les familles vont sur les tombes de leurs ancêtres. Ils les nettoient, les décorent, leur mettent des fleurs et des bougies. Ils jouent de la musique. La fête des morts est une fête très joyeuse.

Pendant la nuit de Walpurgis (du 30 avril au 1er mai), les Suédois se réunissent autour de grands feux de joie pour fêter l'arrivée du printemps. Ils chantent des chants traditionnels sur le printemps et mangent du saumon mariné.

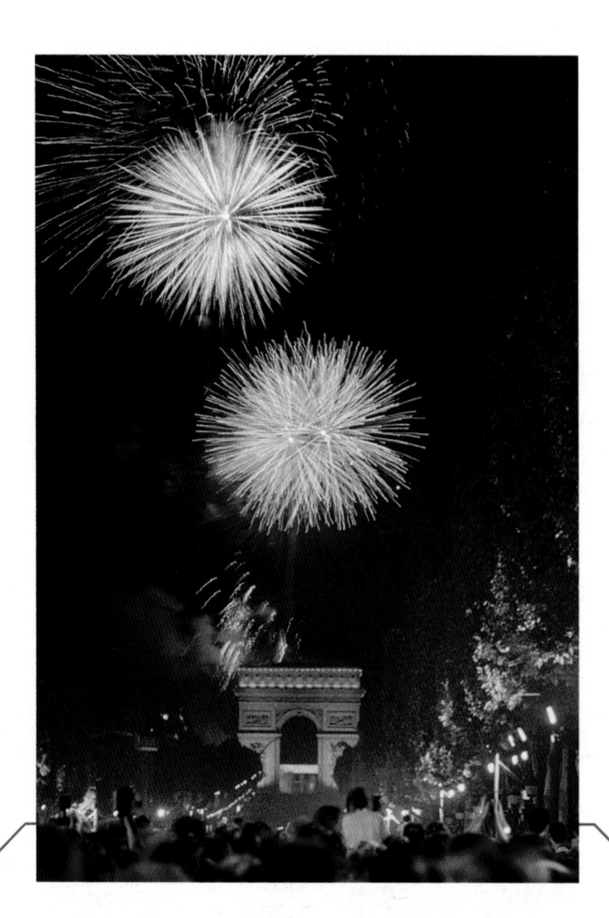

Le 14 juillet est la fête nationale française. À cette date, on fête la prise de la Bastille (qui était une prison) et on commémore la révolution française. Aujourd'hui on associe cette fête au défilé militaire, aux bals et aux feux d'artifice.

2 Pour travailler le vocabulaire de la fête, je prends mon cahier.

UNE FÊTE DANS MON PAYS

3 Pour présenter une fête dans mon pays :

→ je dis à quel moment de l'année elle a lieu ;

→ j'explique les traditions, ce qu'on fait pour célébrer cette fête ;

→ je rédige un petit texte que j'illustre.

GRAMMAIRE / COMMUNICATION

Pour…	Exemple	Structure
demander une information	***Où est-ce que*** *tu vas ?* ***Quand est-ce qu'****ils arrivent ?*	**interrogatif + *est-ce que ?***
raconter un fait passé	*Il* ***a fait*** *de l'accrobranche.* *Hier, Léa* ***est montée*** *dans une montgolfière.*	Pour raconter un fait passé, je peux utiliser le passé composé. Il se forme avec : **– avoir au présent + le participe passé du verbe** **– être au présent + le participe passé du verbe** Accord : avec le verbe « être » le participe passé s'accorde avec le sujet.
parler de la quantité	***Plusieurs*** *adolescents sont en retard.*	**quelques / chaque / plusieurs / tout / tous / toute / toutes** + nom
demander un avis	*Tu* ***penses quoi de*** *ce film ?* *Tu es* ***pour ou contre*** *les photos de vacances sur internet ?* ***Qu'est-ce que tu penses des*** *réseaux sociaux ?*	sujet **+ penser + quoi de +** complément ? sujet **+ être + pour ou contre +** complément ? **Qu'est-ce que +** sujet **+ penser + de +** complément ?
donner un avis	*Je suis* ***d'accord*** *avec toi.* ***À mon avis****, il ne viendra pas.*	sujet + être **+ d'accord/pas d'accord** **À mon avis / je pense que / pour moi…**

LEXIQUE

Des mots pour…	
caractériser une personne	timide, sérieux, calme, malheureux, courageux, râleur…
parler de la fête	faire la fête, se déguiser, un costume, danser, chanter, un feu d'artifice, un bal…
parler d'activités	escalader, sauter à l'élastique / en parachute, monter à cheval… le saut à l'élastique / en parachute, le rafting, l'escalade, l'accrobranche, la spéléo…

→ FAIRE UNE INTERVIEW

Pour faire une interview :

→ par groupes de 3 vous choisissez la personne que vous allez interviewer ;

→ vous choisissez une expérience sur laquelle vous allez l'interviewer (son arrivée dans le collège, sa première expérience insolite…) ;

→ vous préparez 6 questions ;

→ vous interrogez la personne choisie ;

→ vous prenez des notes ou vous enregistrez ses réponses ;

→ vous retranscrivez ses réponses ;

→ vous corrigez et mettez en forme votre interview.

Sylvain a 13 ans. Il adore le roller acrobatique et vient de remporter sa première compétition.

● Quand est-ce que tu as commencé à faire du roller acrobatique ?

● Pourquoi est-ce que tu as choisi ce sport ?

● Est-ce que tu as eu peur quand tu as fait ton premier saut ?

● Comment est-ce que tu t'es entraîné pour ta première compétition ?

● Qu'est-ce que tu a ressenti quand tu as gagné ?

Qu'est-ce que tu conseilles à nos lecteurs ?

Adam, Ibrahim, Grégory.

Singes & Cocotiers

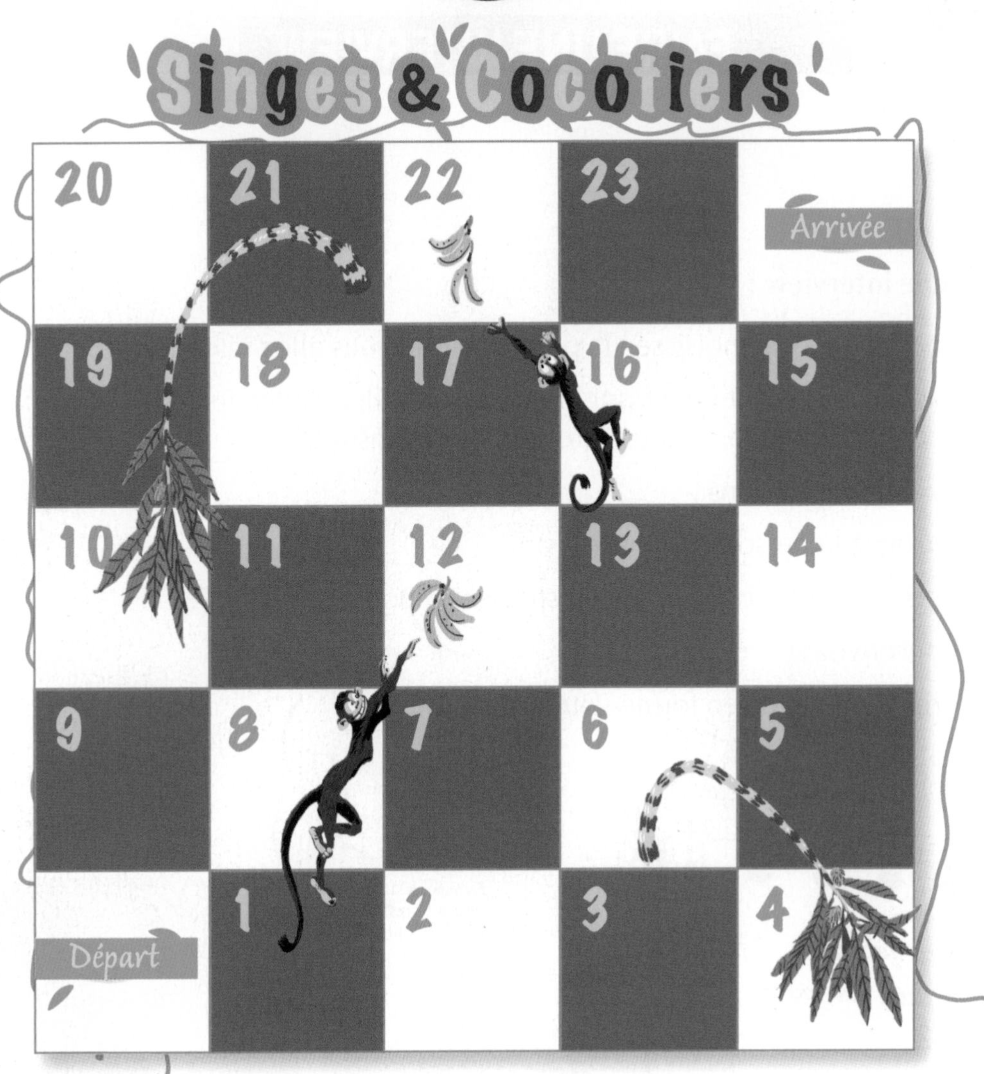

1. Complète la phrase avec l'un des mots suivants : certains – personne – aucun. « ... adorent lire les journaux. »
2. Conjugue au passé composé : « Qu'est-ce que tu (faire) ... hier ? »
3. Marco répond : « À Paris. » Mais quelle était la question de Jean ?
4. Répète 3 fois : « Ma sœur a fait un nœud dans ses cheveux. »
5. Demande à ton voisin s'il a déjà mangé des insectes.
6. Hugo demande : « ... est-ce que tu vas au collège ? » Théo lui répond : « À pied. ». Quel est le mot manquant ?
7. Quel est le participe passé du verbe « connaître » ?
8. Quand une personne n'ose pas parler en public, on dit qu'elle est ... .
9. Pour quelle fête est-ce qu'on tire un feu d'artifice en France ?
10. Fais une phrase en utilisant le mot « courageux ».
11. On utilise « À mon avis » pour : donner son opinion – commencer un récit – faire une description ?
12. Remets cette phrase dans l'ordre : « accrobranche / as / ce / de / est / fait / Quand / - / que / l'/ ? / tu »
13. Complète au passé composé : Elle (aller) ... dans un magasin et elle (acheter) ... une robe magnifique.
14. Complète la phrase avec l'un des mots suivants : tout – certains – chaque. « ... jour, je me lève à 7 heures.
15. C'est une activité insolite. On la pratique dans une grotte. On utilise du matériel d'escalade : comment s'appelle cette activité ?
16. Complète cette phrase : « Il (participer) ... à une interview hier. »
17. Célia dit à Audrey : « Moi, je suis ... les jeux vidéos. » Quel est le mot manquant : contre – avec – dans ?
18. Que demande John à son frère ? « ets-ec euq ut sa aift est vediros ? »
19. Chasse l'intrus : plusieurs – chaque tout – où – quelques.
20. Cite 3 noms de fêtes dans le monde
21. Conjugue les verbes entre parenthèses au passé composé. « Sophie (descendre) ... de la voiture et elle (monter) ... ses courses. »
22. De quelle couleur le monstre Nien a peur ?
23. Cite deux expressions pour donner un avis.

UNITÉ 4

VOTRE MISSION

→ PARTICIPER À UN TOURNOI INTERCLASSE

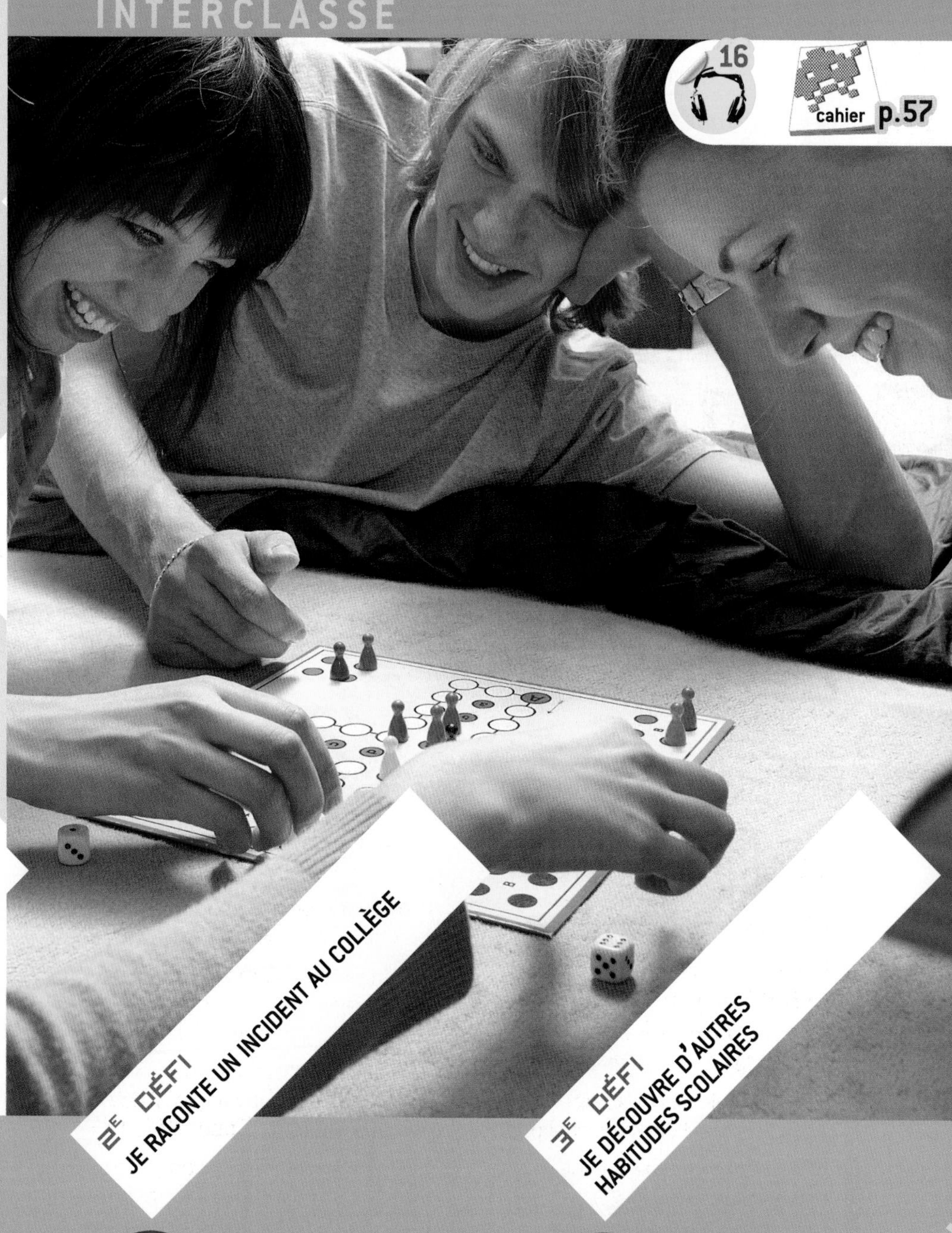

16 cahier p.57

1ER DÉFI
J'ACCUEILLE UN NOUVEL ÉLÈVE AU COLLÈGE

2E DÉFI
JE RACONTE UN INCIDENT AU COLLÈGE

3E DÉFI
JE DÉCOUVRE D'AUTRES HABITUDES SCOLAIRES

CAHIER D'EXERCICES

CAHIER D'EXERCICES

J'ACCUEILLE UN NOUVEL ÉLÈVE AU COLLÈGE

JE COMPRENDS

1 Pour répondre aux questions, j'observe les documents.

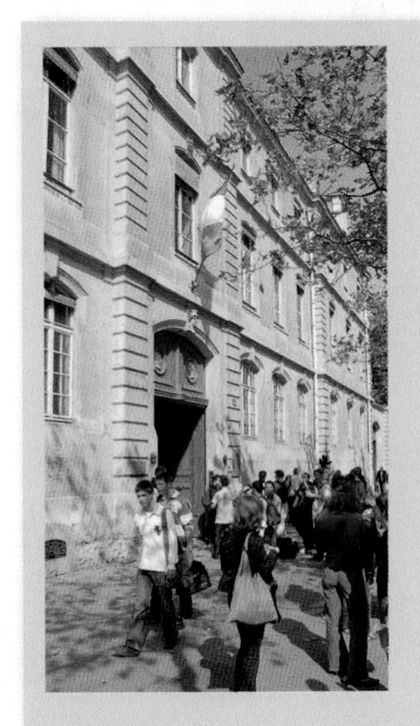

Portes ouvertes au collège Blaise Pascale

Samedi 7 mars 2010
de 9 heures à 17 heures

Venez :
> rencontrer notre équipe pédagogique
> visiter nos locaux
> découvrir les options que nous proposons

Collège Blaise Pascal
57, rue Blaise Pascal
37 000 Tours
college@blaise_pascal.fr

(1)

1. Qu'est-ce que c'est ?
2. Qu'est-ce qu'on voit sur la photo ?
3. À qui s'adresse ce document ?

1. Qu'est-ce que c'est ?
2. À quoi sert ce document ?
3. Quel va être le sujet du document sonore ?

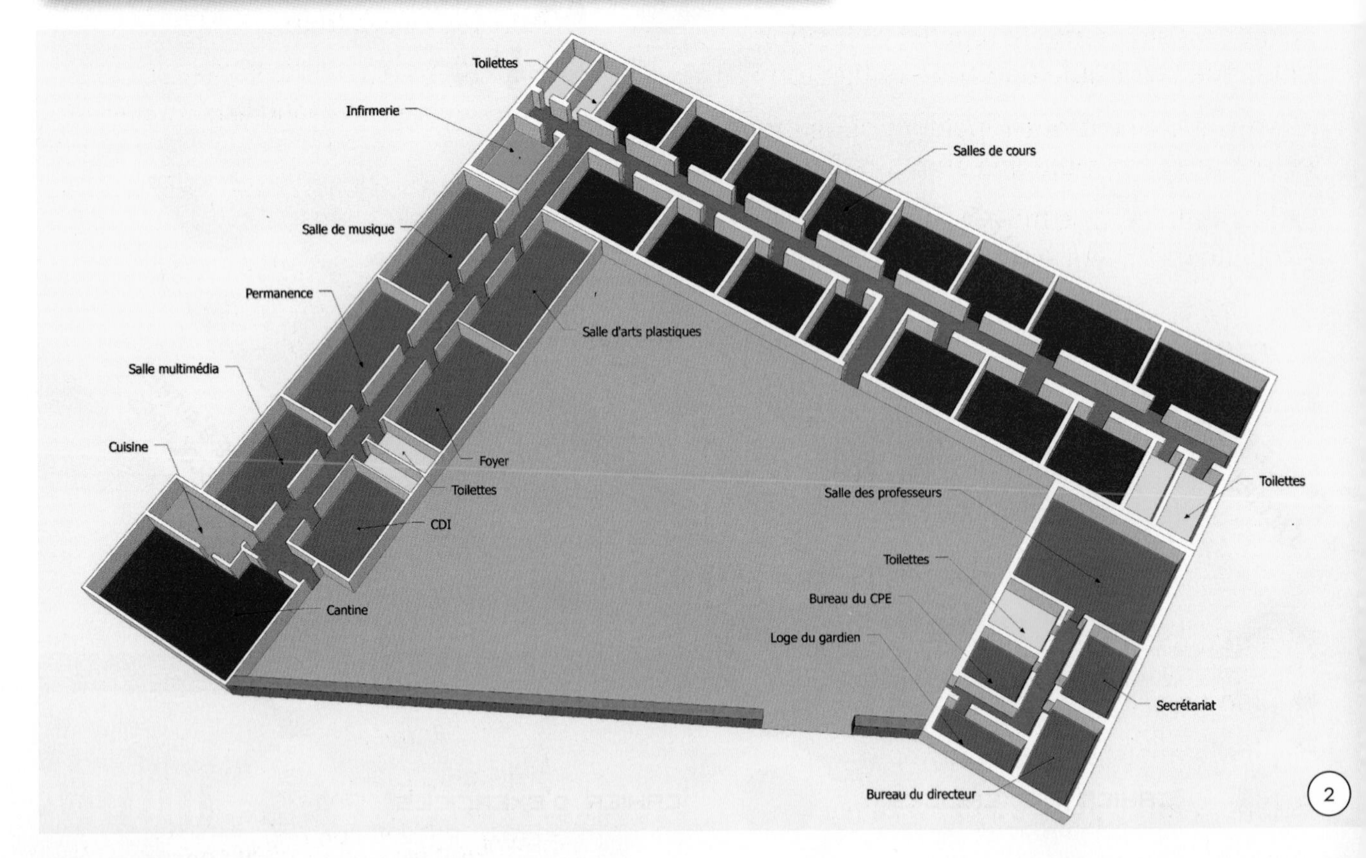

(2)

2 Et maintenant, je prends mon cahier.

JE DÉCOUVRE LA LANGUE

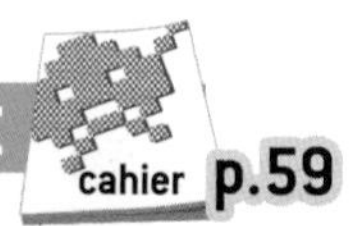
cahier p.59

3 Que fait le personnage qui parle ?

– Il exprime l'obligation.
– Il exprime l'interdiction.
– Il exprime la possibilité.

4 Quelle structure il utilise ?

– **ne avoir pas le droit de** + infinitif
– **devoir** + infinitif
– **pouvoir** + infinitif

JE M'ENTRAÎNE

cahier p.61

5 Pour rappeler les règles de l'école :

→ je formule une obligation ;

→ mon voisin de droite répète l'obligation entendue et formule une autre obligation ;

→ son voisin de droite répète les obligations entendues et formule une autre obligation ;

→ le premier qui se trompe fait redémarrer l'activité dans l'autre sens.

→ *Il faut arriver à l'heure, il faut respecter ses camarades…*

Phonétique

18

Pour repérer la liaison :

→ j'écoute les groupes de mots ;

→ je lève la main quand la consonne en gras est prononcée ;

→ je garde la main baissée quand il n'y a pas de liaison.

→ *Quand j'entends : « C'est to**n** école ? », je lève la main.*

1. Peti**t** à petit.
2. Son peti**t** ami.
3. Son peti**t** chien.
4. Quel âge on**t**-ils ?
5. Ils on**t** commencé.
6. Mo**n** ami.
7. U**n** emploi du temps.
8. Mo**n** copain.
9. E**n** arrivant.
10. E**n** partant.

JE PASSE À L'ACTION

6 Pour accueillir un nouvel élève au collège :

→ j'indique ce qu'on peut faire ;

→ j'indique ce qu'on doit faire ;

→ j'indique ce qu'il ne faut pas faire.

Pour toi

Avant l'activité

Je me pose les bonnes questions :
– est-ce que j'ai compris la consigne ?
– combien est-ce que j'ai de temps pour faire l'activité ?

2

2e DÉFI

JE RACONTE UN INCIDENT AU COLLÈGE

JE COMPRENDS

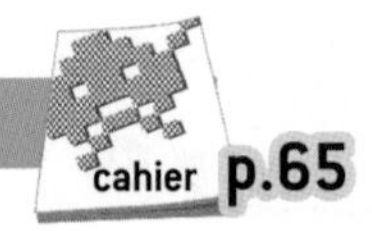

cahier p.65

1 Pour répondre aux questions, j'observe les documents.

1

19

1. Où se passe cette histoire ?
2. Qu'est-ce qui se passe ?

2 Et maintenant, je prends mon cahier.

JE DÉCOUVRE LA LANGUE

cahier p.66

3 Que fait le personnage qui parle ?

– Il exprime l'obligation.
– Il nie quelque chose.
– Il raconte un fait passé.

4 Quelle structure il utilise ?

– **il faut** + infinitif
– sujet + **n'/ne** + être ou avoir + **rien** + participe passé
– sujet + **passé composé**

JE M'ENTRAÎNE

cahier p.68

5 Pour récupérer un objet personnel :

→ je lance le dé ;
→ j'interroge mon camarade ;
→ il répond et on inverse les rôles.

→ *– C'est toi qui l'as prise ma trousse ?*
– Mais non, ce n'est pas moi !

1

2

3

4

5

6

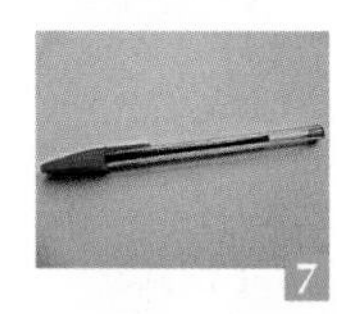
7

8

20 **Phonétique**

Pour reconnaître les sons [b] et [v] :

→ j'écris sur deux papiers différents les signes = et ≠ ;
→ j'écoute les mots ;
→ quand les mots sont identiques, je lève le papier « = » ;
→ quand les mots sont différents, je lève le papier « ≠ ».

→ *Quand j'entends « BD » et « DVD », je lève le papier « ≠ ».*

JE PASSE À L'ACTION

6 Pour raconter un incident au collège :

→ je dis ce qui s'est passé ;
→ je dis avec qui ça s'est passé ;
→ je dis où ça s'est passé ;
→ je dis quand ça s'est passé.

Pour toi

Après l'activité

Je vérifie que mes camarades ont compris ce qui s'est passé, avec qui, quand et où ça s'est passé.

DES COLLÈGES : ICI ET AILLEURS

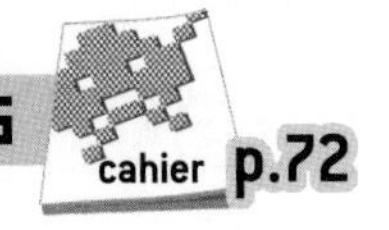

cahier p.72

1 Pour savoir comment c'est ailleurs :

→ j'observe les documents ;

→ je fais les activités dans mon cahier.

éducation

Des cours le matin, du sport l'après-midi

83 collèges et 41 lycées vont prendre exemple sur nos voisins allemands et tester cette année un nouvel emploi du temps. Les élèves auront des cours le matin et feront du sport ou des activités culturelles l'après-midi.
Principaux objectifs ? Favoriser la réussite des élèves et améliorer leur santé physique.
Selon Luc Chatel, le ministre de l'Éducation nationale, « *faire du sport à l'école, c'est très important. Car les valeurs du sport et de l'école sont intimement liées : le goût de l'effort, le respect de la règle, l'apprentissage du collectif...* »
Le ministre espère aussi que ce nouveau système permettra de lutter contre l'absentéisme et les violences à l'école.
À suivre...

V. R.

(1)

Chiffres ou lettres

En France, on note les élèves sur 20, en Autriche sur 5, aux États-Unis, on utilise les lettres de A à E.

(2)

Cantine scolaire

Dans certains collèges, la cantine scolaire n'existe pas. Les élèves doivent apporter leur propre nourriture.

(3)

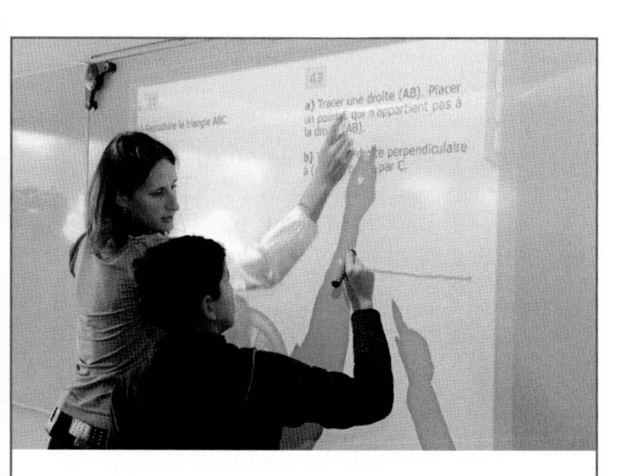

TBI

De plus en plus de collèges dans le monde sont équipés de tableau blanc interactif (TBI).

(4)

Le délégué de classe

Dans de nombreux pays, le délégué représente la classe à l'intérieur comme à l'extérieur du collège. Il est aussi l'intermédiaire entre les élèves et les professeurs.

(5)

FORUMADO

Pouroucontre ?

Au Royaume-Uni, au Japon, au Mexique et dans bien d'autres pays encore, les collégiens portent l'uniforme. En France, on ne le porte plus et pourtant certains voudraient le réintroduire.
Alors, **pour** ou **contre** l'uniforme ?

Répondre

Sim99 le 15/12/2010 à 15:46
Pour, parce que comme ça tout le monde est à égalité et on ne peut pas te critiquer sur ton style.

Hellome le 16 /12/2010 à 09:16
Je suis contre au collège. On est tous différents et on a le droit de s'habiller comme on veut.

Nath le 16 /12/ 2010 à 15:50
Contre, l'uniforme c'est très laid et ce serait trop triste d'être tous habillés pareil.

Dici le 17 /12/ 2010 à 10:45
Pour, ce serait moins dur de s'habiller le matin et puis on aurait plus besoin d'acheter des vêtements de marque.

(6)

2 Pour travailler le vocabulaire scolaire, je prends mon cahier.

UN NOUVEAU DÉLÉGUÉ

3 Pour être élu délégué :

→ je fais une liste de propositions (cantine, uniforme, TBI...) ;

→ je prépare un petit prospectus pour donner envie aux élèves de voter pour moi.

GRAMMAIRE / COMMUNICATION

Pour…	Exemple	Structure
exprimer l'interdiction	***Il est défendu d'****utiliser son téléphone portable en classe.*	**Il est défendu/interdit de/d'** + infinitif
	La salle des professeurs ***est interdite*** *aux étudiants.*	sujet + **être + interdit(e)(s)**
	Les élèves ***ne peuvent pas*** *sortir de l'établissement sans une autorisation des parents.*	**ne + pouvoir + pas +** infinitif
exprimer l'obligation	*Les collégiens* ***doivent*** *arriver à l'heure.*	**devoir +** infinitif
	Il faut *s'inscrire à la bibliothèque pour emprunter des livres.*	**Il faut +** infinitif
exprimer la possibilité	*Vous* ***pouvez*** *participer à une sortie scolaire.*	**pouvoir +** infinitif
	Vous ***avez la possibilité d'****emprunter trois livres par semaine.*	**avoir + le droit/la possibilité de/d'** + infinitif
raconter des faits passés	*J'****ai sorti*** *mes cahiers.* *Max* ***est allé*** *au tableau.*	Pour raconter un fait au passé, je peux utiliser le passé composé : – **avoir** au présent + le **participe passé** du verbe – **être** au présent + le **participe passé** du verbe
	*Lisa est sorti****e*** *de la classe.*	**Accord avec l'auxiliaire être :** Le participe passé s'accorde avec le sujet du verbe.
	Julie a perdu la clé de son antivol ! *→ Elle l'a perdu****e*** *!*	**Accord avec l'auxiliaire avoir :** Lorsque le pronom complément direct est placé devant l'auxiliaire « avoir », **on accorde le participe passé avec le complément.**
nier au passé	*Je* ***ne*** *suis* ***pas*** *arrivé en retard, ce matin.* *Je* ***n'****ai* ***rien*** *fait, hier soir.* *Je* ***ne*** *suis* ***jamais*** *allé au CDI.*	Sujet + **n'/ne** + auxiliaire « être » ou « avoir » + **jamais/rien/pas** + participe passé
	Je ***n'****ai vu* ***personne****, hier, au cinéma.*	Sujet + **n'/ne** + auxiliaire « être » ou « avoir » + **participe passé** + personne
éviter les répétitions	*Le supermarché n'est pas loin.* *J'****y*** *fais mes courses.*	**y** est un pronom. Il remplace un complément de lieu.

LEXIQUE

Des mots pour…	
parler du collège	un uniforme, un banc, une salle de classe, un tableau, une craie, un CDI, un TBI, le foyer, la permanence, la cour, la cantine, l'infirmerie

→ PARTICIPER À UN TOURNOI INTERCLASSE

Pour participer au tournoi de « Qui a fait quoi ? Où ? » :

→ vous écrivez le nom d'un personnage (ex : Paul Perret, Zoé Gap…) sur 6 cartes différentes ;

→ vous écrivez un incident (ex : casser une chaise, écrire sur une table…) sur 6 cartes différentes,

→ vous faites 6 cartes avec le nom des 6 salles du plateau ;

→ vous mélangez les cartes par catégorie ;

→ le joueur le plus jeune pioche une carte de chaque catégorie et les mets secrètement dans une enveloppe ;

→ il distribue les autres cartes aux joueurs ;

→ tous les joueurs lancent le dé ;

→ le joueur qui fait le plus grand chiffre commence et relance le dé pour avancer son pion ;

→ il fait une proposition : « C'est (*Paul Perret…*) qui a (*aboyé sans raison…*) dans la (*cantine*) » et donne le nom d'un joueur de son choix ;

→ si ce joueur a une des 3 cartes, il la montre en secret ;

→ si ce joueur n'a aucune des cartes de l'hypothèse, le joueur suivant lance le dé ;

→ le premier joueur qui a trouvé les 3 cartes de l'enveloppe a gagné ;

→ les gagnants de chaque classe se rencontrent ensuite pour la finale.

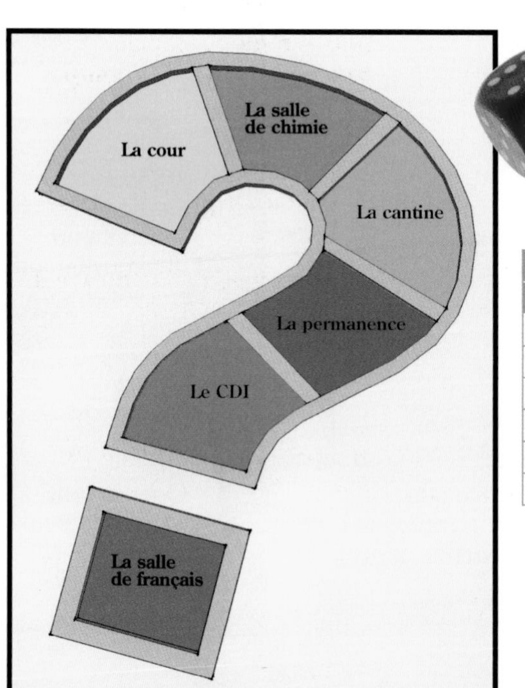

Mes hypothèses		
Personnages	Incidents	Lieux
Paul Perret	~~écrire sur un mur~~	~~la cours~~
~~Zoé Gap~~	~~casser une chaise~~	~~la salle de chimie~~
~~Emma Deluc~~	aboyer sans raison	la cantine
~~Cécile Var~~	~~glisser en entrant~~	~~la permanence~~
~~Simon Rodet~~	~~faire tomber une armoire~~	~~le CDI~~
~~Louis Galais~~	~~avaler un bonbon de travers~~	~~la salle de français~~

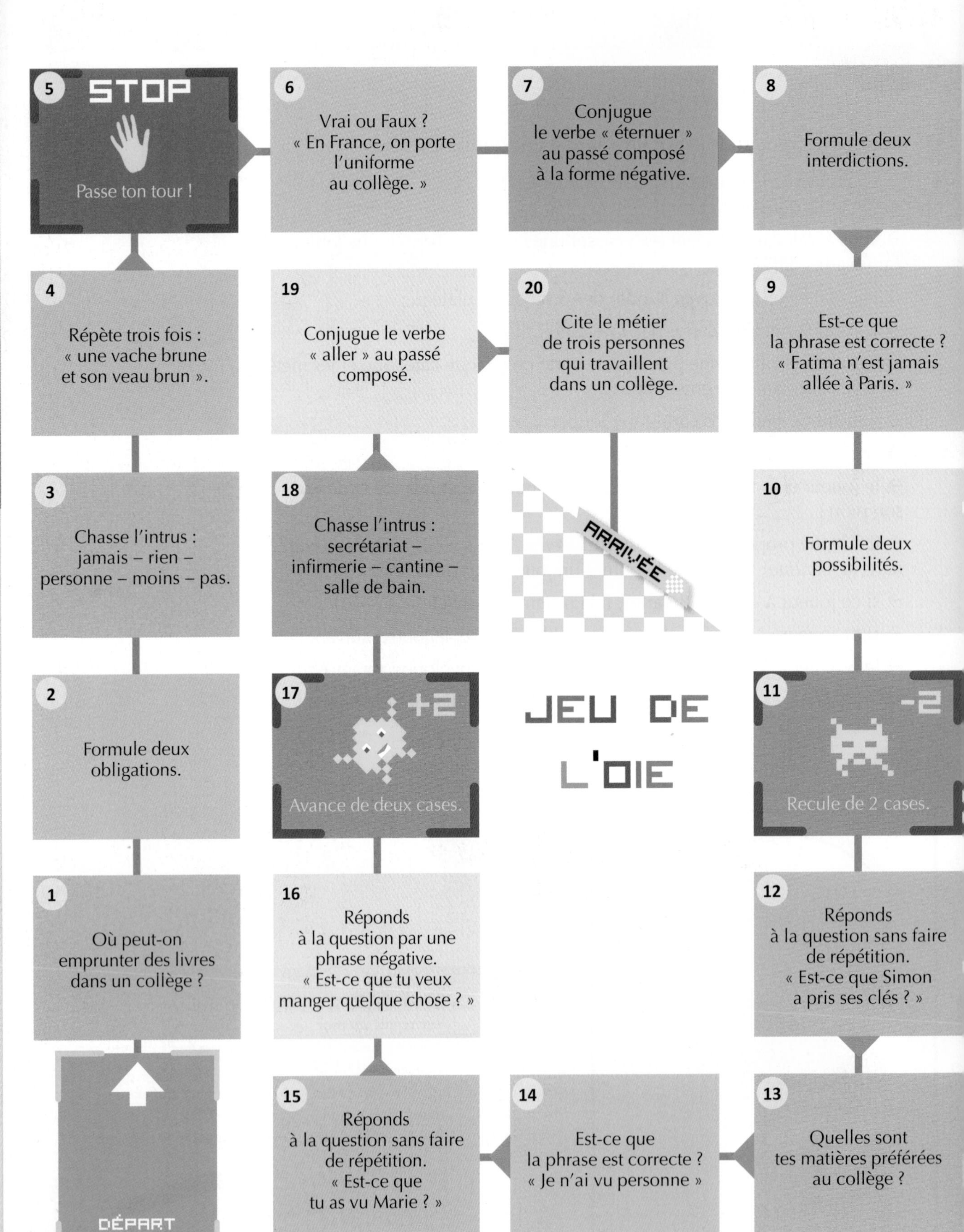
JEU DE L'OIE
DÉPART
1
Où peut-on emprunter des livres dans un collège ?
2
Formule deux obligations.
3
Chasse l'intrus : jamais – rien – personne – moins – pas.
4
Répète trois fois : « une vache brune et son veau brun ».
5
STOP
Passe ton tour !
6
Vrai ou Faux ? « En France, on porte l'uniforme au collège. »
7
Conjugue le verbe « éternuer » au passé composé à la forme négative.
8
Formule deux interdictions.
9
Est-ce que la phrase est correcte ? « Fatima n'est jamais allée à Paris. »
10
Formule deux possibilités.
11
-2
Recule de 2 cases.
12
Réponds à la question sans faire de répétition. « Est-ce que Simon a pris ses clés ? »
13
Quelles sont tes matières préférées au collège ?
14
Est-ce que la phrase est correcte ? « Je n'ai vu personne »
15
Réponds à la question sans faire de répétition. « Est-ce que tu as vu Marie ? »
16
Réponds à la question par une phrase négative. « Est-ce que tu veux manger quelque chose ? »
17
+2
Avance de deux cases.
18
Chasse l'intrus : secrétariat – infirmerie – cantine – salle de bain.
19
Conjugue le verbe « aller » au passé composé.
20
Cite le métier de trois personnes qui travaillent dans un collège.
ARRIVÉE

UNITÉ 5

VOTRE MISSION

→ CRÉER UNE AFFICHE : « LES ÉCO-GESTES AU COLLÈGE »

21

cahier p.75

1ER DÉFI
JE FAIS UN BLOG SUR UNE ESPÈCE MENACÉE

2E DÉFI
JE PARTICIPE À UNE ÉMISSION SUR L'ÉCOLOGIE

3E DÉFI
JE DÉCOUVRE DES INITIATIVES ÉCOLOGIQUES

CAHIER D'EXERCICES

CAHIER D'EXERCICES

1ER DÉFI

JE FAIS UN BLOG SUR UNE ESPÈCE MENACÉE

JE COMPRENDS

cahier p.76

1 Pour répondre aux questions, j'observe les documents.

Des animaux en danger

Sur les cinq continents, des espèces sont en voie de disparition. Aujourd'hui, beaucoup d'animaux sont en danger : des mammifères, des poissons, des oiseaux.

Pourquoi ?
À cause de la sécheresse, de la fonte des glaces, du manque de nourriture ou des incendies. Mais, c'est surtout à cause des activités de l'Homme ! Nous polluons, nous détruisons les océans et les forêts. Nous chassons les animaux pour leur viande, leur peau, leurs dents, leurs plumes ou leur graisse. Nous les tuons pour fabriquer des vêtements, des bijoux ou encore des produits cosmétiques.

Koalas, éléphants, gorilles des montagnes, pandas géants, requins, ours polaires, tigres de Sumatra, aigles... sont menacés : ils vont bientôt disparaître si l'on ne fait rien.

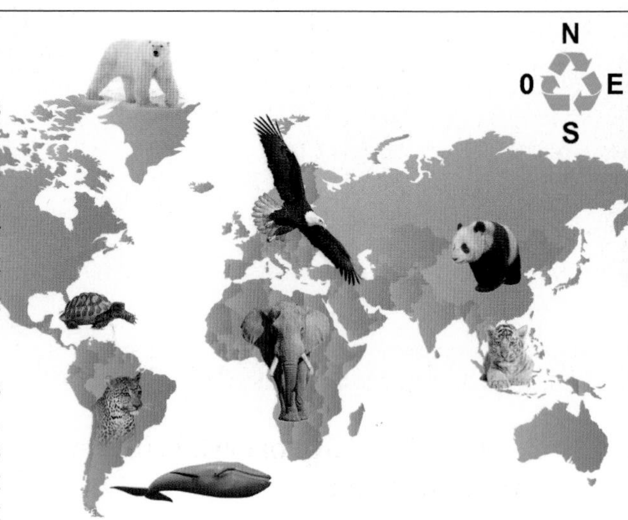

Le journal des ados écolos, **n° 125, septembre 2010.**

①

1. Que représente l'illustration ?
2. De quoi est-ce qu'il est question ?

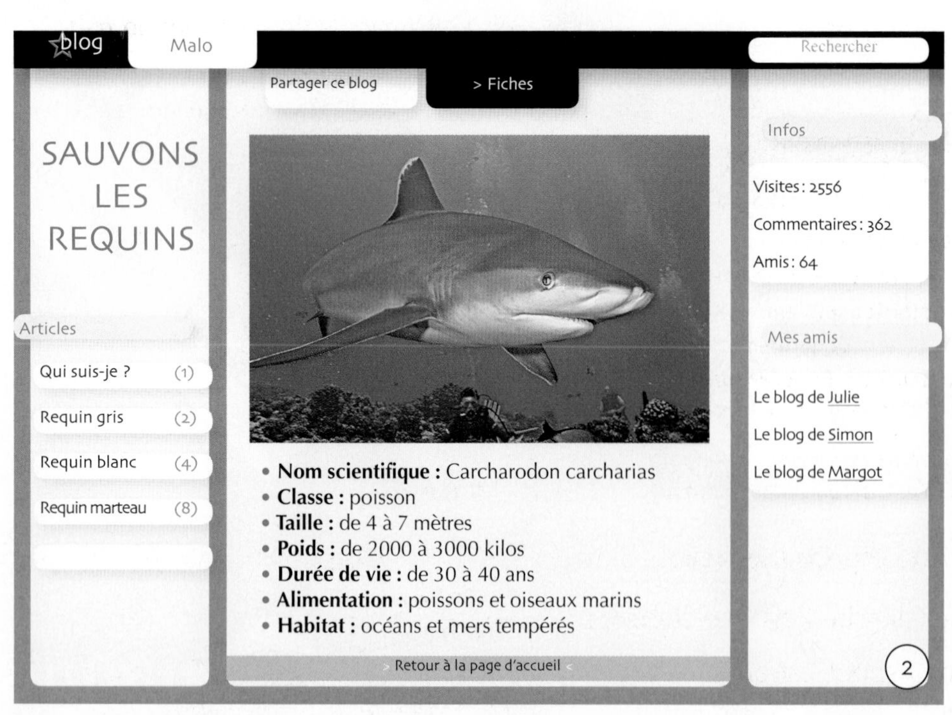

②

22

1. Qu'est-ce que c'est ?
2. Quel va être le sujet du document sonore

2 Et maintenant, je prends mon cahier.

JE DÉCOUVRE LA LANGUE

3 Que fait le personnage qui parle ?

– Il demande des explications.
– Il indique la cause de quelque chose.
– Il indique la conséquence de quelque chose.

4 Quelle structure il utilise ?

– **c'est à cause de** + pronom tonique
– **pourquoi** + nom + verbe + complément
– **c'est pour ça que** + nom + verbe + complément

JE M'ENTRAÎNE

5 Pour savoir pourquoi certains animaux sont en danger :

→ je lance le dé ;
→ j'interroge mon camarade ;
→ il répond et on inverse les rôles.

→ *– Pourquoi les requins sont en danger ?*
– À cause de la pêche.

- les ours polaires
- les pandas
- les thons rouges
- les éléphants
- les aigles royaux
- les dauphins

23

Phonétique

Pour reconnaître les différentes graphies des nasales :

→ je choisis avec mes camarades le son [õ], [ã] ou [ɛ̃] ;
→ je lis un mot contenant le son choisi ;
→ mon camarade lit à son tour un mot avec le son choisi.

→ *Si nous avons choisi le son [ɛ̃], je peux lire « bain ».*

– Autant
– Bain
– Branché
– Campagne
– Chacun
– Compost
– Dent
– Donc
– Émission
– Environnement
– Moins
– Montagne
– Rien

JE PASSE À L'ACTION

6 Pour faire un blog sur une espèce menacée :

→ je prépare une fiche pour décrire l'espèce choisie ;
→ j'explique pourquoi cette espèce est en danger et pourquoi il faut la protéger ;
→ j'illustre mon blog avec des photos et je lui donne un titre.

Pour toi

Après l'activité

Je vérifie que :
– j'ai bien décrit l'espèce choisie (taille, poids, habitat, alimentation…) ;
– j'ai donné les causes de sa disparition ;
– j'ai expliqué pourquoi il faut la protéger.

JE COMPRENDS

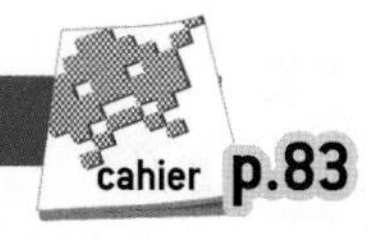
cahier p.83

1 Pour répondre aux questions, j'observe les documents.

1. Qu'est-ce que c'est
2. À qui ça s'adresse ?
3. À quoi ça sert ?

24

1. Que représente l'illustration ?
2. Quel va être le sujet du document sonore ?

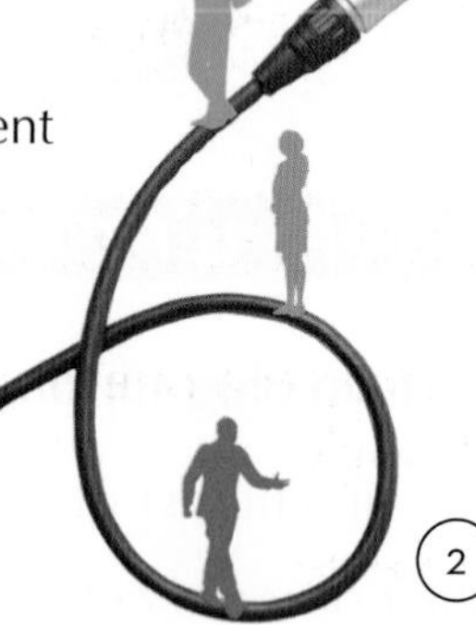

2 Et maintenant, je prends mon cahier.

JE DÉCOUVRE LA LANGUE

cahier p.84

3 Que fait le personnage qui parle ?

– Il donne des précisions.
– Il compare.
– Il fait une proposition.

4 Quelle structure il utilise ?

– verbe + **plus** + **que**
– on **devrait** + infinitif
– nom + **que** + sujet + verbe

JE M'ENTRAÎNE

cahier p.86

5 Pour faire deviner un objet à mon camarade :

→ je choisis un objet ;

→ je définis cet objet ;

→ quand mon camarade a deviné, on inverse les rôles.

→ *– C'est un objet qu'on utilise pour jeter les ordures.*
– C'est une poubelle.

1

2

3

4

5

6

25

Phonétique

Pour reconnaître les doubles consonnes :

→ je lis les phrases ;

→ j'écoute l'enregistrement ;

→ je dis si ce que j'ai entendu correspond à la première ou à la deuxième phrase.

1. Elle a emmené son chien. Elle l'a emmené, son chien.
2. Il vient dormir. Il vient de dormir.
3. Elle est venue Coralie. Elle est venue avec Coralie.
4. Elle a donné. Elle l'a donné
5. Neuf oies. Neuf fois

JE PASSE À L'ACTION

6 Pour participer à une émission sur l'écologie :

→ je me présente ;

→ j'évoque un problème lié à l'environnement ;

→ j'exprime mon mécontentement ;

→ je propose une solution.

Pour toi

Avant l'activité

Je fais un remue-méninges pour trouver des idées.

L'ÉCOLOGIE : ICI ET AILLEURS

cahier p.90

1 Pour en savoir plus sur des initiatives écologiques dans le monde :

→ j'observe les documents ;

→ je fais les activités dans mon cahier.

ERP est un éco-organisme européen dont le rôle est de coordonner et de faciliter le tri, la collecte et le traitement de ces DEEE (déchets équipements électriques et électroniques).

1

C'est la Semaine québécoise de réduction des déchets.
Hier, 17 octobre 2010, la 10e édition de la Semaine québécoise de réduction des déchets a commencé au Centre des Sciences de Montréal.
Cette initiative invite les Québécois à participer aux activités 3R : réduction, réemploi, recyclage-compostage. Dans toutes les régions du Québec, les participants peuvent apprendre à fabriquer du papier recyclé, à créer une œuvre d'art à partir de cartons recyclés ou encore des bijoux avec des sacs en plastique.
Découvrez le programme sur notre site.

2

26

Monsieur Toulmonde

Voyez-vous, Monsieur... Voyez-vous, Monsieur...

Pourquoi, dans les rivières,
On trouve des chaussures
À l'orée des forêts
Des montagnes d'ordures
Des usines qui crachent
Des tonnes d'hydrocarbures ?

Comment font les oiseaux
Coquillages et poissons
Quand ils ont sur la peau
Des kilos de goudron
Si la mer n'est plus bleue
Mais marron ?

REFRAIN
Monsieur Toulmonde
Qu'avons-nous fait de...
Monsieur Toulmonde
Qu'avons-nous fait de la planète bleue ?

On coupe dans la brousse
Les arbres d'Amazonie
Un nuage qui pousse
S'est installé sur Paris
Parfois, quand je respire,
Je tousse

Les neiges ont fondu
Au Kilimandjaro
On dirait que rien ne va plus
Car certains animaux
Déjà n'existent plus
Qu'en photo

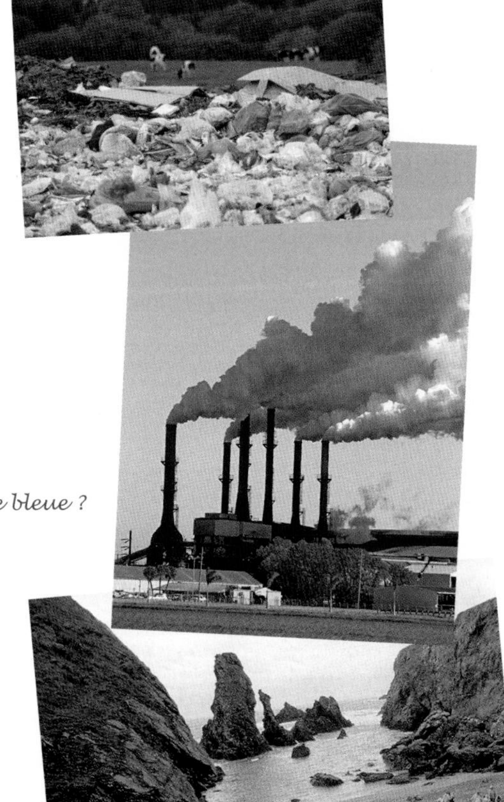

Notre Terre est sur les rotules
Faudrait voir à se calmer
Miss Météo fabule
Et se met à délirer
Annonce la canicule
Pour janvier

REFRAIN

Si Monsieur Toulmonde voulait bien,
On peut toujours rêver,
Voir un petit peu plus loin
Que le bout de son nez
Éviter à tout prix
Que la plus belle des étoiles
Ne finisse sa vie
En poubelle générale

Voyez-vous, Monsieur,
J'ai mal au monde
On pourrait faire mieux
À chaque seconde
Voyez-vous, Monsieur,
J'ai mal au monde
Vous fermez les yeux
Mais je l'entends qui gronde
(Répète ce couplet)

REFRAIN (2 fois)

Voyez-vous, Monsieur... (5 fois)

« Monsieur Toulmonde » paroles et musique de Guillaume Aldebert (Arrangements de Jean-Cyril Masson / Christophe Darlot / Cédric Desmazière / Damien Currin). (C) Warner Chappell Music France et Make Sense - 2008.

3

2 Pour travailler le vocabulaire de l'environnement, je prends mon cahier.

UNE ACTION POUR LA PLANÈTE

3 Pour défendre l'environnement :

→ je fais une liste de problèmes écologiques ;

→ je choisis un problème ;

→ j'imagine un autre couplet à la chanson de Guillaume Aldebert.

GRAMMAIRE / COMMUNICATION

Pour…	Exemple	Je peux utiliser
indiquer la cause	*Les requins ont mauvaise réputation **parce qu'**ils font peur.*	**parce que** + indicatif
	*Certains animaux disparaissent **à cause du** réchauffement climatique.*	**à cause de** + article défini + nom
	*C'est **à cause de** nous !*	**à cause de** + pronom tonique
indiquer la conséquence	*La planète est en danger, il est **donc** urgent de faire quelque chose.*	**donc**
	*Les ours risquent de disparaître, **c'est pour ça que** je veux les protéger.*	**c'est pour ça que**
donner des précisions	*Les déchets **qui** sont triés peuvent être recyclés.* *Les animaux **que** j'aime sont en danger.* *J'habite une île **où** la nature est très belle.*	On utilise les pronoms relatifs (**qui**, **que** et **où)** pour caractériser, pour donner des précisions sur quelqu'un ou quelque chose : – **qui** remplace un sujet – **que** un objet animé ou inanimé – **où** un lieu
comparer	*Nous trions **plus qu'**avant.*	verbe + **plus** / **moins** / **autant** + **que** **plus** / **moins** / **autant de** + nom + **que** **plus** / **moins** / **autant** + adjectif + **que**
	*L'eau du robinet n'est pas **meilleure que** l'eau en bouteille.*	**Attention aux irréguliers** bon → meilleur
	*La situation est **pire qu'**avant.*	mauvais → pire
	*Prendre une douche c'est **mieux que** de prendre un bain.*	bien → mieux
faire des propositions	***Il faudrait** passer à l'action.*	**il faudrait** + infinitif
	***On devrait** faire du compost.*	**on devrait** + infinitif

LEXIQUE

Des mots pour…	
décrire un animal	un mammifère, un oiseau, un poisson, un coquillage la peau, les plumes, les poils
parler d'un danger	être en voie de disparition, être en danger de, être menacé de, être victime de
parler de notre environnement	la Terre, la planète, le monde la mer, l'océan, la montagne, la campagne, la forêt, la banquise, la neige, les glaciers, les arbres…
parler d'écologie	vert, propre, recyclable, jetable, durable, respectueux de l'environnement… la protection, la défense, le tri, le recyclage, les déchets, les ordures, les emballages, la réduction des déchets, le compost… économiser, trier, recycler être « écolo », un éco-citoyen, avoir un comportement éco-responsable
exprimer mon mécontentement	C'est dommage ! Je trouve ça dommage. Ce n'est pas possible !

→ CRÉER UNE AFFICHE : « LES ÉCO-GESTES AU COLLÈGE »

Pour créer une affiche pour un collège éco-responsable :

→ vous caractérisez votre situation dans votre collège ;

→ vous cherchez des solutions pour améliorer les comportements ;

→ vous choisissez 10 actions ;

→ vous illustrez et vous décrivez chaque action ;

→ vous trouvez un slogan.

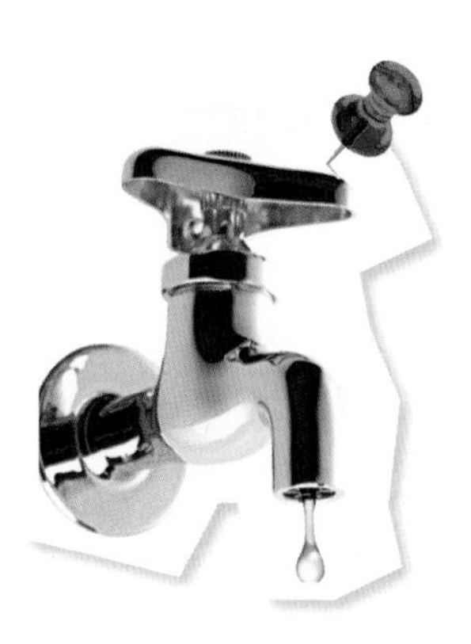

Quiz

Environnement

Cite 3 éco-gestes.

abc **Langue**

Choisis le pronom relatif qui convient. « C'est une chose……… nous devons tous faire. »

- où
- qui
- que

Animaux

Quel animal ne vit pas dans le milieu marin ?

- le crabe
- le panda
- la baleine

abc **Langue**

Fais une phrase en utilisant « meilleur ».

abc **Langue**

Quel(s) énoncé(s) expriment la cause ?

- La planète est polluée parce nous n'y faisons pas attention.
- La planète est menacée, c'est pour ça qu'il faut agir.
- La planète est en danger à cause de notre comportement.

Environnement

Cite 3 verbes du vocabulaire de l'environnement qui commencent par la lettre R.

abc **Langue**

Quel énoncé n'est pas une proposition ?

- Il faudrait interdire la pêche à la baleine.
- La baleine est une espèce en danger.
- On devrait protéger les baleines.

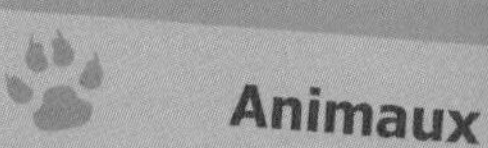

Animaux

Cite 3 causes de la disparition des espèc animales à travers le monde.

Animaux

Quel animal est le plus menacé par la fonte des glaces ?

- le tigre du Bengale
- l'aigle royal
- l'ours polaire

abc **Langue**

Quel énoncé exprime la conséquence ?

- Nous consommons des produits jetables, c'est pour ça qu'il y a plus de déchets.
- Nous consommons des produits durables parce qu'il faut réduire nos déchets.

abc **Langue**

Fais une phrase pour comparer le vélo et la voiture.

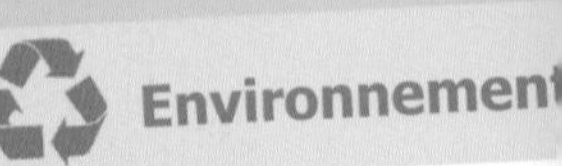

Environnement

Qu'est-ce qu'un produit durable ?

UNITÉ 6

VOTRE MISSION

→ MONTER UNE EXPOSITION PHOTO SUR LES ANNÉES 2000

27

cahier p.95

1ER DÉFI
JE FAIS LA VISITE DU MUSÉE DE L'HOMME

2E DÉFI
JE RÉDIGE DES NOTICES SUR DES OBJETS ANCIENS

3E DÉFI
JE DÉCOUVRE DES MYTHOLOGIES

CAHIER D'EXERCICES

CAHIER D'EXERCICES

1ER DÉFI

JE FAIS LA VISITE DU MUSÉE DE L'HOMME

JE COMPRENDS

cahier p.96

1 Pour répondre aux questions, j'observe les documents.

28

1. Que représente l'illustration ?
2. Où se passe la scène ?
3. Quel va être le sujet du document sonore ?

1. Qu'est-ce que c'est ?
2. De quand date ce document ?
3. De quoi est-ce qu'il est question ?

Il y a 200 ans...

La vie des Terriens au XXIe siècle

Ils vivaient où ?
Il n'y avait pas un humain sur Mars ni sur la Lune. Les Terriens vivaient tous sur la Terre. Ils habitaient généralement dans des villes, dans des maisons communes qu'on appelait des immeubles.

Ils voyageaient comment ?
Ils se déplaçaient avec des véhicules à moteur : voitures, trains ou motos. Seuls les avions volaient...

Ils mangeaient quoi ?
Il y a 200 ans, les Terriens mangeaient ce que la Terre produisait : des fruits et des légumes, mais aussi de la viande. Ils mangeaient même les produits de la mer !

Vous le saviez ?
Au XXIe siècle, les Terriens n'utilisaient pas tous l'informatique. Certains Terriens achetaient même des livres en papier dans des boutiques appelées : « librairies ».

Historia junior, février 2212.

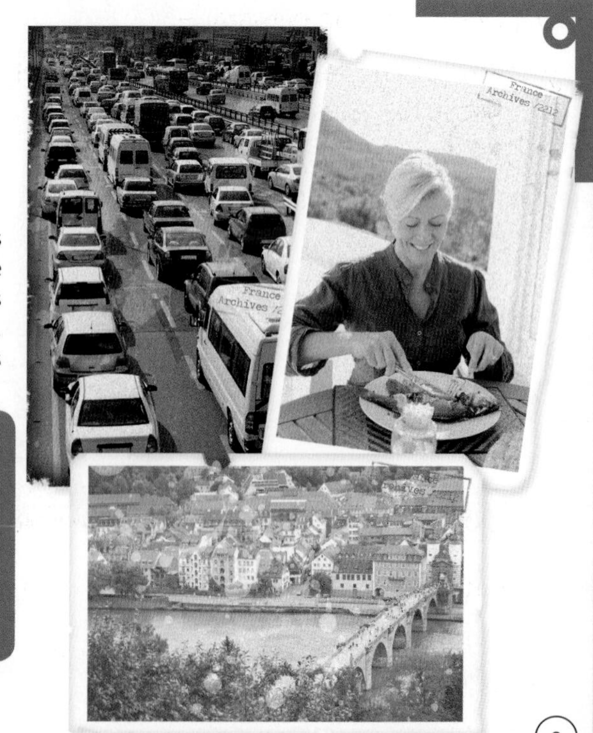

2

2 Et maintenant, je prends mon cahier.

JE DÉCOUVRE LA LANGUE

cahier p.97

3 Que fait le personnage qui parle ?

– Il décrit une situation future.
– Il demande une information.
– Il décrit une situation passée.

4 Quelle structure il utilise ?

– sujet + **futur**
– **avant** + sujet + **imparfait**
– **c'est quoi** + démonstratif + nom

JE M'ENTRAÎNE

cahier p.99

5 Pour savoir comment ça se passait avant :

→ je lance le dé ;

→ j'interroge mon camarade ;

→ mon camarade invente une réponse et on inverse les rôles.

→ *– Qu'est-ce qu'on mangeait avant ?*
– On mangeait des insectes.

⚀ Manger	⚃ Regarder
⚁ Boire	⚄ Lire
⚂ Cultiver	⚅ Fabriquer

29 **Phonétique**

Pour reconnaître le [ə] :

→ j'écoute les phrases ;

→ je compte le nombre de [ə] que j'entends.

→ *Dans « Je te reconnais. » j'entends deux [ə].*

1. Je me demande qui c'est.
2. Je le retrouve au même endroit.
3. Je me demande si c'est vrai.

JE PASSE À L'ACTION

6 Pour faire la visite du musée de l'Homme :

→ je choisis un thème (école, nourriture, sports, loisirs…) ;

→ je choisis une époque (le XXe siècle, le XIXe siècle, etc.) ;

→ je prépare un aide-mémoire pour ma présentation ;

→ je décris aux visiteurs comment ça se passait à l'époque.

Pour toi

Avant l'activité

Je me demande quelles questions les visiteurs vont poser pendant la visite du musée.

JE RÉDIGE DES NOTICES SUR DES OBJETS ANCIENS

JE COMPRENDS

cahier p.103

1 Pour répondre aux questions, j'observe les documents.

1

30

1. Que représente la photo ?
2. Où se passe la scène ?

Parapluie double,
1979, collection particulière.
Inventé par M. Desroches, il permettait de s'abriter de la pluie en couple. Cet objet a reçu le 2e prix de la Foire de Paris en 1980.

Plante odorante,
1985, collection permanente du musée.
Cette plante en plastique s'utilisait surtout dans les entreprises. Elle ne nécessitait aucun entretien, et les fleurs dégageaient un parfum agréable toute l'année.

Montre à remonter le temps,
1968, don de Mme Collet.
M. Collet a imaginé cette montre pour s'amuser. Elle remonte le temps de minute en minute. « On s'en servait à la maison… mais c'était difficile d'être à l'heure », confie l'inventeur !

2

1. Que représentent les photos ?
2. De quoi est-ce qu'il est question ?

2 Et maintenant, je prends mon cahier.

JE DÉCOUVRE LA LANGUE

cahier p.104

3 Que fait le personnage qui parle ?

– Il demande une information.
– Il donne une information.
– Il caractérise quelque chose ou quelqu'un.

4 Quelle structure il utilise ?

– ça + **servir à** + infinitif
– interrogatif + sujet + **s'en servir** ?
– **c'était** + nom + adjectif

JE M'ENTRAÎNE

cahier p.105

5 Pour faire deviner un objet à mon camarade :

→ je choisis un objet ;

→ je dis à quoi il servait ;

→ quand mon camarade a deviné, on inverse les rôles.

1 appareil photo

2 magnétophone

3 téléphone

4 radio

5 tourne-disque

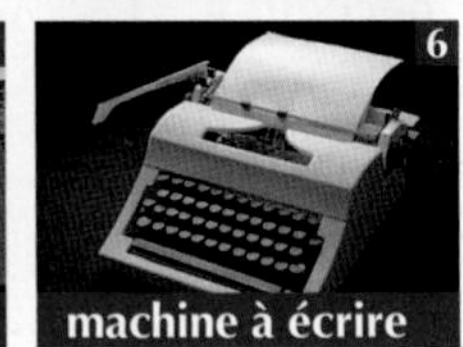
6 machine à écrire

31 **Phonétique**

Pour entendre la différence entre [k] et [g] :

→ j'écris sur deux papiers différents les chiffres 1 et 2 ;

→ j'écoute les mots ;

→ quand j'entends le son [g] dans le premier mot, je lève le « 1 » ;

→ quand j'entends le son [g] dans le deuxième mot, je lève le « 2 ».

→ *Quand j'entends : « qui » et « gui », je lève le 2.*

JE PASSE À L'ACTION

6 Pour créer des notices sur des objets anciens :

→ je choisis trois objets qui n'existent plus ;

→ je trouve des photos des objets choisis ;

→ je rédige une légende de 3 lignes pour chaque objet.

Pour toi

Après l'activité

Est-ce que, sur chaque fiche, j'ai indiqué le nom de chaque objet et à quoi il servait ?
Est-ce que j'ai utilisé les temps qui conviennent ?

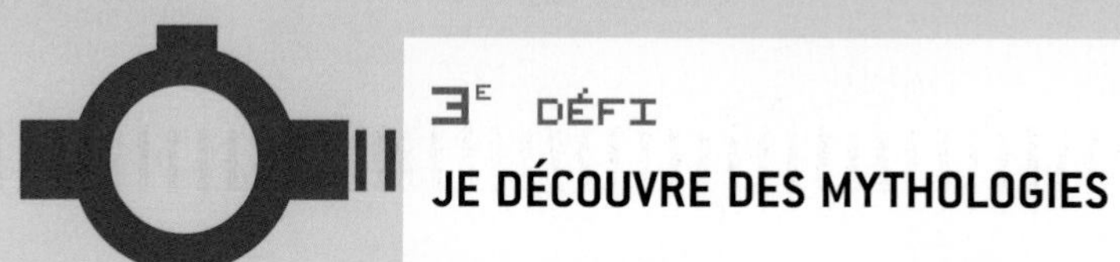

LA MYTHOLOGIE : ICI ET AILLEURS

cahier p.110

1 Pour mieux connaître les différentes mythologies :

→ j'observe les documents ;

→ je fais les activités dans mon cahier.

a. Zeus (Jupiter pour les latins) est le dieu le plus important de la mythologie grecque, c'est le chef de la famille des dieux. Il gouverne avec le tonnerre, les éclairs et la pluie. On le représente souvent avec un éclair à la main.

b. Odin est le père de tous les dieux scandinaves. Il gouverne la terre, le ciel et le vent. Il est souvent représenté avec un loup et un corbeau, et son cheval a huit jambes.

c. Ra est un dieu égyptien très important. Dieu du soleil et créateur, il a donné naissance aux neufs dieux principaux. Il est souvent représenté avec un corps d'homme, une tête de faucon surmontée d'un soleil.

d. Aphrodite (Vénus pour les latins) est la déesse grecque de l'amour et de la beauté. Elle provoque l'amour immédiat des mortels et des dieux. Pâris, le plus beau des mortels, l'a élue la plus belle des déesses.

e. Poséidon (Neptune pour les latins) est le dieu grec des mers. Avec son trident (arme de pêcheur à trois dents), il commande les tempêtes et les tremblements de terre. Il est aussi le maître des chevaux.

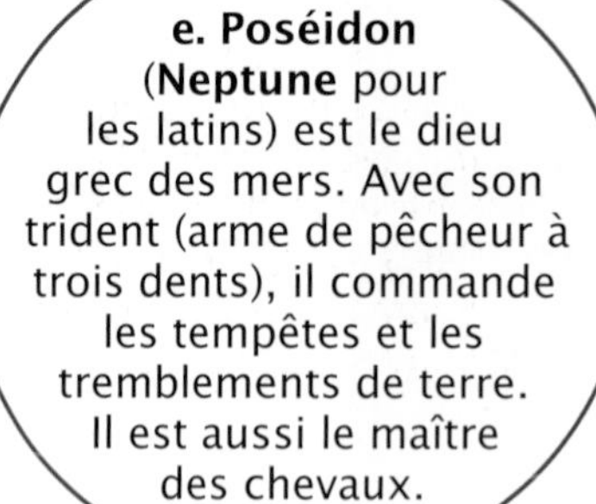

f. Isis est une déesse égyptienne qui sait guérir. Elle est souvent représentée avec un siège sur la tête à cause de son nom qui veut dire « celle qui est sur le trône » : la reine.

5

6

7

g. Hel est la reine de Helheim : le pays des morts. Ce pays est entouré d'un très grand mur et gardé par un horrible chien. Le nom de cette déesse scandinave a donné le mot « hell » qui veut dire « enfer » en anglais.

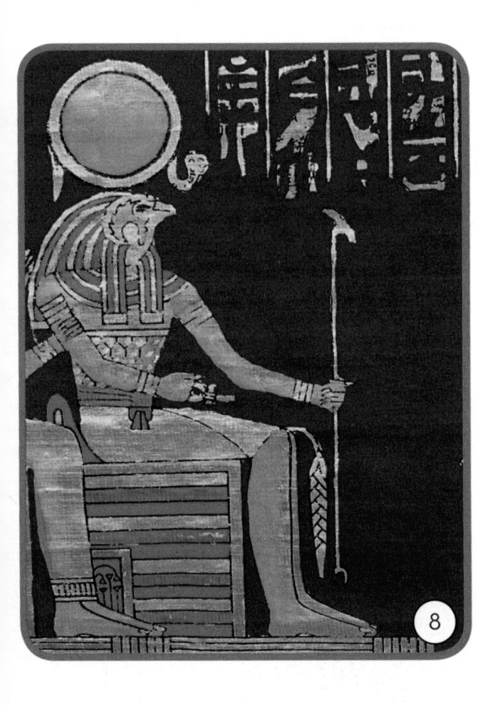
8

h. Osiris est un dieu égyptien très important, il porte un sceptre, un fouet et la barbe des pharaons. Au départ adoré comme le dieu de la nature, il est devenu le juge des morts et possède les clés de la vie éternelle.

i. Frigg est la reine des dieux scandinaves. Elle est la déesse de l'amour et du mariage. Elle connaît l'avenir mais elle n'en parle jamais. On la représente souvent sur un cheval.

9

2 Pour travailler le vocabulaire de la mythologie, je prends mon cahier.

UNE MYTHOLOGIE IMAGINAIRE

3 Pour créer ma propre mythologie,

→ j'imagine 3 dieux ;

→ je les dessine ;

→ je rédige trois textes de 3 lignes pour les décrire (physique, pouvoirs, particularités…).

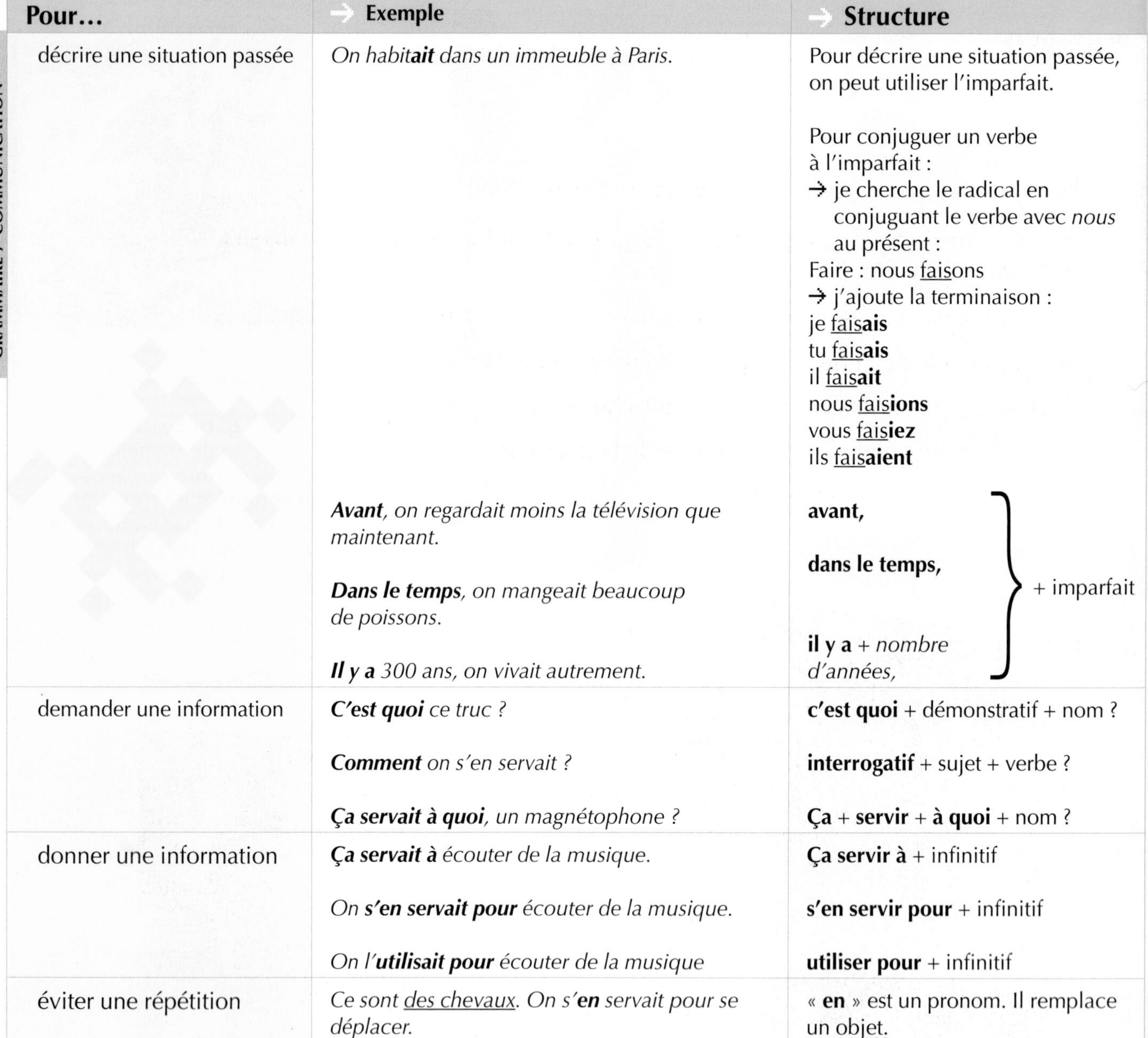

GRAMMAIRE / COMMUNICATION

Pour…	Exemple	Structure
décrire une situation passée	*On habit**ait** dans un immeuble à Paris.*	Pour décrire une situation passée, on peut utiliser l'imparfait. Pour conjuguer un verbe à l'imparfait : → je cherche le radical en conjuguant le verbe avec *nous* au présent : Faire : nous faisons → j'ajoute la terminaison : je fais**ais** tu fais**ais** il fais**ait** nous fais**ions** vous fais**iez** ils fais**aient**
	***Avant**, on regardait moins la télévision que maintenant.* ***Dans le temps**, on mangeait beaucoup de poissons.* ***Il y a** 300 ans, on vivait autrement.*	**avant,** **dans le temps,** **il y a** + *nombre d'années,* } + imparfait
demander une information	***C'est quoi** ce truc ?* ***Comment** on s'en servait ?* ***Ça servait à quoi**, un magnétophone ?*	**c'est quoi** + démonstratif + nom ? **interrogatif** + sujet + verbe ? **Ça** + **servir** + **à quoi** + nom ?
donner une information	***Ça servait à** écouter de la musique.* *On **s'en servait pour** écouter de la musique.* *On l'**utilisait pour** écouter de la musique*	**Ça servir à** + infinitif **s'en servir pour** + infinitif **utiliser pour** + infinitif
éviter une répétition	*Ce sont des chevaux. On s'**en** servait pour se déplacer.*	« **en** » est un pronom. Il remplace un objet.

LEXIQUE

Des mots pour…	
parler de la mythologie	un dieu, une déesse, une divinité, divin, divine, la création, une légende, un trident, un trône, un sceptre, un pharaon, un mortel, une mortelle
parler du présent	aujourd'hui, maintenant, de nos jours
parler du passé	avant, hier, dans le temps, autrefois, à l'époque
parler d'objet courant	un parapluie, une montre, un appareil photo, un téléphone, un tourne-disque, une machine à écrire, une radio, un magnétophone

→ MONTER UNE EXPOSITION PHOTO SUR LES ANNÉES 2000

Pour monter une exposition photo sur les années 2000 :

→ vous choisissez les grands thèmes de votre exposition (les jeux, les moyens de communication, l'alimentation, etc.) ;

→ vous choisissez les photos qui illustreront chaque thème ;

→ vous décidez de l'ordre de présentation des photos ;

→ vous rédigez les légendes des photos choisies ;

→ vous réalisez une affiche pour faire de la publicité ;

→ vous rédigez des invitations.

Téléphone portatif

Cet ancêtre du téléphone portable permettait de téléphoner de n'importe où. Mais sa taille ne permettait pas de le ranger facilement dans son sac à main !

1. Conjugue les verbes à l'imparfait. « Il (être)… grand et il (avoir)… de grandes oreilles. »
2. À quoi servait un magnétophone ?
3. Complète avec la forme verbale qui convient : écrit – écrivait – écrira. « Avant, on … avec une plume et de l'encre. »
4. Qu'est-ce qu'on utilisait avant comme moyen de transport ? « Avant, on … »
5. Chasse l'intrus : avant – à l'époque – aujourd'hui – dans le temps.
6. Mon premier est la première lettre de l'alphabet.
   Mon deuxième est un fleuve qui traverse l'Italie du Nord.
   Mon troisième n'est pas court.
   Mon tout est le dieu romain de la beauté.
7. Cite 3 objets du quotidien.
8. Réponds sans faire de répétitions. « Est-ce que tu prends du thé ? »
9. D'après toi, quels sont les 3 objets qui représentent le mieux l'an 2000 ?
10. Réponds sans faire de répétitions. « Est-ce que tu veux du chocolat ? »
11. Alice répond : « Ça servait à prendre des photos. » Mais quelle était la question de Paul ?
12. Complète la phrase avec le mot qui convient : depuis – il y a – à l'époque.
    « ... 30 ans, personne n'avait d'ordinateur chez lui. »
13. Remets les mots dans l'ordre pour faire une phrase : « était / l'amour / Aphrodite / déesse / Grèce / de / la / en. »
14. Complète la phrase avec l'expression qui convient : ça servait – on l'utilisait – on s'en servait. « ... à jouer de la musique. »
15. Un élève répond : « Ils habitaient dans des cavernes. » Quelle question a posée le professeur ?
16. Réponds sans faire de répétitions. « Est-ce que tu as besoin de cet outil ? »
17. Complète la phrase de Franck : « Avant, on (pêcher) … moins de poissons dans les océans. »
18. Cite 3 dieux égyptiens.
19. Donne un synonyme du mot « divinité ».
20. Reformule la phrase en commençant par avant : « Les humains boivent de l'eau et mangent des légumes. »
21. Répète 3 fois : « Qui est-ce qui t'a quitté ? »
22. Chasse l'intrus : en – y – le – la – quand.
23. Conjugue le verbe « gagner » à l'imparfait.

UNITÉ 1

1ER DÉFI
Document 2, p. 10

UN ADOLESCENT : Excusez-moi, Monsieur, pour aller à la place de l'Étoile, s'il vous plaît ?
UN PASSANT : Alors, à pied… vous prenez la deuxième à gauche, la rue des acacias. Ensuite vous prenez la première à droite, vous verrez il y a une boulangerie au coin de la rue. Et après c'est toujours tout droit, vous ne pouvez pas vous tromper vous allez voir l'Arc de Triomphe.
UN ADOLESCENT : Merci Monsieur !

Phonétique, p. 11

1. temps de trajet – direction
2. retard – radar
3. descend – continue
4. terminus – départ
5. regarde – arrête
6. piste – indication

2E DÉFI
Document 1, p. 12

LE PÈRE : Regardez les enfants : voici le château de Chambord. Le château que François Ier a fait construire ! Il est immense ! Il y a 440 pièces !
LE FILS : Il est plus grand que le château de Chaumont, alors ?
LE PÈRE : Oui, le château de Chaumont est beaucoup plus petit !
LA FILLE : Et il a été construit quand ?
LE PÈRE : Eh bien, les travaux ont commencé en 1519 et ils ont duré un siècle et demi. François Ier n'a jamais vu son château terminé ! Et ici, nous sommes sur la terrasse, vous savez combien il y a de cheminées, les enfants ?
LE FILS : 45 ? 60 ? 36 ?
LE PÈRE : Allez, je vous aide… le château a autant de cheminées qu'il y a de jours dans l'année !
LE FILS ET LA FILLE : Non ? 365 ?
LE PÈRE : Eh oui, il y a bien 365 cheminées dans ce château ! Maintenant, direction le parc où le roi venait chasser avec ses amis ! Vous savez, les enfants, le parc du château de Chambord est aussi grand que Paris !
LA FILLE : Ouah, il est immense, alors !
LE PÈRE : Eh oui, et tout autour de ce parc, il y a un mur de 30 km de long.
LA FILLE : Papa, ça veut dire quoi, "FRF", c'est écrit partout sur les murs ?
LE PÈRE : Ce sont les initiales du roi : "FRF", ça veut dire François Roi de France. Et à côté de ses initiales, vous pouvez voir son emblème, la salamandre. Allez, suivez-moi, je vais vous montrer quelque chose de plus impressionnant encore…

Phonétique, p. 13

1. Il arrive.
2. Elle part avec son frère.
3. Les clés.
4. Je vais à Calais.
5. En route pour le rallye.
6. Paré au départ.

UNITÉ 2

1ER DÉFI
Phonétique, p. 21

1. journée
2. jeu
3. adieu
4. soirée
5. amitié
6. jeudi
7. collégien
8. billet d'entrée

2E DÉFI
Document 2, p. 22

Dialogue 1

NATHALIE : Allô, Clarisse, c'est Nathalie !
CLARISSE : Salut Nathalie ! Ça va ? Ça te plaît Québec ?
NATHALIE : Tu veux savoir si j'aime Québec, je ne l'aime pas cette ville, je l'adore ! C'est vraiment génial mais ce n'est pas pour ça que je t'appelle : ça te dit d'aller patiner dimanche sur la place Hydro-Québec ?
CLARISSE : Ah oui, super idée !
NATHALIE : Cool à dimanche alors, et n'oublie pas tes patins !
CLARISSE : Non, promis, je ne les oublierai pas cette fois, à dimanche.

Dialogue 2

HUGO : Allô, Vincent !
VINCENT : Oh salut Hugo ! Tu vas bien ?
HUGO : Ouais ! Dis donc, j'aimerais bien aller faire du ski dimanche ! Tu veux venir avec moi ?
VINCENT : Oui, d'accord, on pourrait inviter Simon aussi.
HUGO : Bonne idée, je l'appelle tout de suite.
VINCENT : Ça marche, à plus tard !

Dialogue 3
PAUL : Allô Yousri, c'est Paul !
YOUSRI : Ça va ?
PAUL : Ouais, écoute il y a un concours de sculpture sur neige dimanche. Tu ne veux pas le faire ?
YOURI : Mais tu es fou, toi : rester dehors pendant des heures à se geler ! Ah, non, je déteste le froid. Je préfère aller au bowling ! Non, désolé, ça ne me dit vraiment rien du tout !

Phonétique, p. 23
1. oui – huit
2. tua – toi
3. bois – bois
4. Louis – lui
5. bouée – buée
6. cuit – cuit

UNITÉ 3

1ER DÉFI
Document 1, p. 30
Aujourd'hui notre émission se tourne vers les jeunes. Parce que les ados recherchent des sensations fortes, de nouvelles activités se développent. Chacun a sa façon de vivre l'aventure. Reportage à Mende où notre journaliste a suivi un groupe de jeunes aventuriers.
ENQUÊTEUR : Alors Mélanie, d'où est-ce que tu viens comme ça ?
MÉLANIE : Je viens d'atterrir. J'ai fait mon premier vol en montgolfière !
ENQUÊTEUR : Et tu n'as pas eu peur ?
MÉLANIE : Non, je me suis sentie en sécurité dans le ballon. Ce n'est pas comme hier… quand j'ai dormi dans une cabane, en haut des arbres, en pleine forêt !
ENQUÊTEUR : Et toi Antoine, pourquoi est-ce que tu as voulu faire de l'accrobranche ?
ANTOINE : C'était mon rêve !
ENQUÊTEUR : Et maintenant, comment est-ce que tu te sens ?
ANTOINE : Je suis super content, j'ai déjà envie de recommencer.

Phonétique, p. 31
1. partir à deux
2. partir tout seul
3. voyageur
4. peuple
5. jeune
6. voyageuse
7. peuplé
8. avoir peur

2E DÉFI
Document 2, p. 32
LE PRÉSENTATEUR : Les réseaux sociaux font un carton. Astrid, 14 ans, comme la plupart des ados, adore les réseaux sociaux.
ASTRID : « Tout le monde est connecté au collège. Le jeu, c'est d'avoir le plus d'amis possible. J'en ai 146. Mais je ne parle pas à tout le monde. Moi, je trouve que c'est une activité amusante. Je tchat, je regarde les profils, je fais des tests : ça me prend beaucoup de temps après les cours. »
LE PRÉSENTATEUR : J'accueille M. Carlos qui étudie l'influence des réseaux sociaux sur les ados. Alors M. Carlos et vous, qu'est-ce que vous en pensez ?
M. CARLOS : Les réseaux sociaux se présentent comme un jeu : on communique avec ses copains, on peut raconter sa vie, s'inventer des expériences…
Pourtant, il faut faire attention : tout le monde a accès à ces réseaux… donc tout le monde peut avoir vos coordonnées, connaître vos amis, voir vos photos…
Alors, mon premier conseil serait : faites attention à votre vie privée !
Ensuite…

UNITÉ 4

1ER DÉFI
Document 2, p. 40
LE DIRECTEUR DU COLLÈGE : Bonjour et bienvenue au collège Blaise Pascal. Nous allons commencer la visite.
Alors, vous avez ici la loge du gardien. Il surveille les entrées et les sorties. Sachez qu'il est défendu aux élèves de sortir sans autorisation des parents.
Quand un élève est en retard le matin, c'est-à-dire quand il arrive après 8 heures, il doit aller chercher un billet de retard dans le bureau du conseiller d'éducation qui se trouve ici.
Ensuite vous avez mon bureau, le secrétariat et au fond la salle des professeurs qui est interdite aux élèves.
Je vous emmène maintenant dans le bâtiment principal. Vous avez ici toutes les salles de cours. Au fond du bâtiment, c'est l'infirmerie.
Ensuite, vous avez les salles d'arts plastiques, de musique et le foyer qui sont isolées des autres salles de classe. Les élèves ont le droit d'y accéder en dehors des cours avec l'autorisation du CPE.
Au bout du couloir, se trouvent la salle multimédia et le

centre de documentation et d'orientation autrement dit le CDI. Ces salles sont ouvertes toute la journée et les élèves peuvent y travailler. Pour emprunter des livres du CDI, il faut juste s'inscrire. Les élèves ont la possibilité d'emprunter 3 livres par semaine.
Vous avez, enfin, la cantine. Elle est ouverte pour le déjeuner, de midi à 14 heures. Les élèves ne peuvent pas y accéder en dehors de ces horaires.
Voilà, nous avons fait le tour de l'établissement, est-ce que vous avez des questions ?

2E DÉFI

Document 1, p. 42

La conseillère d'éducation : Alors qu'est-ce qui s'est passé avec Léa, ce matin ? Je suis sûre que vous savez quelque chose que je ne sais pas. Racontez-moi !
Louise : Tout ?
La conseillère d'éducation : Tout !
Louise : Et bien, Léa est arrivée en retard ce matin, vers 8 h 50, je crois.
Carlos : Mais non, elle n'est pas arrivée à 8 h 50, elle est arrivée beaucoup plus tôt vers 8 h 35.
La conseillère d'éducation : C'est bizarre Léa n'est jamais en retard d'habitude. Enfin passons, qu'est-ce qui s'est passé ensuite ?
Carlos : Léa s'est assise au dernier rang et n'a pas sorti ses affaires.
Louise : Mais si elle les a sorties.
La conseillère d'éducation : Bon d'accord, et après ?
Carlos : Après, elle a commencé à pousser des petits cris, comme des aboiements.
Louise : Mais non ce n'est pas vrai, elle a éternué.
La conseillère d'éducation : Louise vous feriez mieux de dire la vérité.
Louise : Bon d'accord c'est vrai elle a aboyé.
La conseillère d'éducation : Et ensuite ?
Carlos : Monsieur Madelle s'est retourné, il nous a tous regardé l'air étonné. Léa a rougi et n'a rien dit. Mais quelques minutes plus tard elle a recommencé à aboyer et tout le monde a ri. Alors M. Madelle s'est fâché et il l'a punie. Il lui a dit de sortir de la classe.
La conseillère d'éducation : Qu'est-ce qui a bien pu lui prendre ? Vous savez vous ?
Carlos : Non, non, on n'en sait rien, elle n'a parlé à personne.
La conseillère d'éducation : Vous êtes bien sûr ?

Phonétique, p. 43

1. câble – câble
2. lavé – lové
3. brille – brille
4. lové – lobé
5. brille – vrille
6. cave – cave

UNITÉ 5

1ER DÉFI

Document 2, p. 50

La journaliste : Aujourd'hui nous accueillons Malo, un jeune ado écolo ! Nous les surnommons les "dents de la mer", mais ce n'est pas pour ça que nous ne devons pas les protéger... Malo, dis-nous pourquoi tu t'intéresses aux requins ?
Malo : Parce que ce sont des animaux fascinants que nous ne connaissons pas bien. Ils nous font peur, mais ce sont des victimes : les requins risquent de disparaître à cause de la pollution et de la pêche... c'est pour ça que je veux les protéger.
La journaliste : Pourquoi ils ont une mauvaise réputation ?
Malo : On pense que ce sont des mangeurs d'hommes parce qu'ils sont impressionnants : ils peuvent mesurer 7 mètres et peser 3 tonnes ! Mais les poissons et les oiseaux marins sont leur repas préféré, pas les hommes !
La journaliste : Et alors, qu'est-ce que tu fais pour les protéger ?
Malo : J'ai créé un blog. Sur ce blog, je présente les différentes espèces de requins, j'explique pourquoi ils sont en danger et donc pourquoi il faut les protéger.

2E DÉFI

Document 2, p. 52

Le présentateur : Chers auditeurs, bonjour ! Vous êtes nombreux à avoir réagi à notre dernière émission sur l'écologie, *Pour un quotidien plus vert*. Écoutons vos messages...
Robin : Bonjour, c'est Robin, de la Réunion. J'habite sur une île où la nature est très très belle mais les gens n'y font pas attention. La situation est pire qu'avant. Il y a plus de déchets sur la plage que dans les poubelles. Il faudrait arrêter ça, vite !
Swann : Ce n'est pas possible !!! Tout le monde ne trie pas encore ses déchets ! Je trouve ça dommage : le tri, c'est super facile et c'est toujours mieux que rien ! C'était Swann, de Montréal.
Coline : Bonjour, c'est Coline, en Belgique. Moi... franchement, je n'adore pas l'odeur du compost ! Mais je trouve qu'à la campagne, tout le monde devrait le faire !

MARIN : Salut ! Moi c'est Marin, de Montpellier. Perso, je vais toujours au collège et à l'entraînement de foot à vélo ! Sinon, pour les longs trajets, il faudrait penser à faire du covoiturage… Partager une voiture, ce n'est pas compliqué. Il y aurait moins de pollution !
ZOÉ : J'adore prendre des bains quand je rentre de la danse, mais je ne le fais pas… On économise beaucoup plus d'eau si on prend une douche ! C'était Zoé, de Paris. À plus !

Phonétique, p. 53
1. Elle l'a emmené, son chien.
2. Il vient de dormir.
3. Elle est venue avec Coralie.
4. Elle a donné.
5. Neuf fois.

UNITÉ 6

1ER DÉFI
Document 1, p. 60
LE GUIDE : Les enfants, bienvenue au musée de l'Homme. Tenez, regardez ces mannequins : ce sont vos ancêtres !
ÉLISE : Tu as vu comment il est habillé ?
LE GUIDE : Eh oui, ça, c'est un manteau et ça, ce sont des bottes. On les utilisait quand il faisait froid. À droite, par contre, la femme porte une robe. On en trouve encore aujourd'hui, dans les boutiques de costumes.
ÉLODIE : Et ça, Monsieur, c'est quoi ?
LE GUIDE : Vous ne savez pas ce que c'est les enfants ? C'est une voiture à essence.
NAËL : Une quoi ?
LE GUIDE : Dans les années 2000, il y a plus de 200 ans, on utilisait des voitures. C'était un moyen de transport très répandu. Vous en avez certainement déjà vu dans vos manuels d'histoire.
ABEL : Ah oui, et notre prof nous en a parlé.
NAËL : Et là, Monsieur, qu'est-ce que c'est ? Ça se mange ?
LE GUIDE : Euh, plutôt, ça se mangeait. Tu vois, au-dessus et en dessous, c'est du pain, et au milieu, on mettait de la viande hachée avec des crudités… On appelait ça un hamburger.
ÉLODIE : Ah, ça a l'air dégoûtant !

2E DÉFI
Document 1, p. 62
LE JOURNALISTE : Bonjour et bienvenue dans notre jeu quotidien : le Keskecè. Hier, les candidats n'ont pas trouvé la solution. Nous espérons qu'aujourd'hui, chers auditeurs, vous trouverez l'objet mystère…
On sait que le Keskecè est un objet ancien. On s'en servait pour se divertir et il n'est pas très grand. Premier candidat :
CARLA : Bonjour. Carla, j'ai 14 ans et j'habite Marseille.
LE JOURNALISTE : On écoute votre question.
CARLA : Est-ce que le Keskecè servait aux jeunes comme aux personnes âgées ?
LE JOURNALISTE : Oui, … mais c'est surtout les jeunes qui l'utilisaient. Vous pensez à ?
CARLA : À une télévision de voyage.
LE JOURNALISTE : Eh non. Candidat suivant.
GABY : Salut, c'est Gaby, de Bordeaux. Est-ce qu'on utilisait le Keskecè pour écouter de la musique ?
LE JOURNALISTE : Oui, souvent. Mais pas uniquement. Quelle était votre idée ?
GABY : Un disque vinyle…
LE JOURNALISTE : Non plus, mais on se rapproche…
ANAËLLE : Anaëlle, de Brest : est-ce qu'on pouvait enregistrer quelque chose avec le Keskecè ?
LE JOURNALISTE : Ah, je sens que vous êtes proche de la solution… C'est exact. Vous pensez à quoi ?
ANAËLLE : À un magnétophone à cassette.
LE JOURNALISTE : Eh bien, félicitations ! C'était la bonne réponse… et est-ce vous savez Anaëlle, comment on s'en servait ?
ANAËLLE : Oui, mon grand-père en avait un dans son grenier… On mettait tout simplement la cassette dans le magnétophone et on enregistrait ou on écoutait ce qu'on voulait.

Phonétique, p. 63
1. qui – gui
2. quand – gant
3. gare – car
4. groupe – écoute
5. visite guidée – quitter la visite
6. regrette – enquête
7. question – interrogation
8. bague – bac

I. Autour du nom

1. Les articles

a. Les indéfinis

On utilise les articles indéfinis quand on parle de quelque chose ou de quelqu'un pour la première fois.

→ ***un*** *garçon,* ***une*** *fille,* ***des*** *garçons,* ***des*** *filles*

b. Les définis

On utilise les articles définis quand on parle de quelque chose ou de quelqu'un qu'on connaît déjà.

→ ***le*** *garçon,* ***la*** *fille,* ***l'****élève,* ***les*** *garçons,* ***les*** *filles*

c. Les partitifs

On utilise les articles partitifs pour parler de quantités qu'on ne peut pas compter ou qu'on ne veut pas préciser.

→ ***du*** *papier****, de la*** *lumière****, des*** *déchets*

 Devant une voyelle ou un « h », **du** et **de la** deviennent **de l' :**

→ ***de l'****eau*

À la forme négative, **du, de la, des, de l'** deviennent **de :**

→ *Il n'y a pas* ***de*** *lumière.*

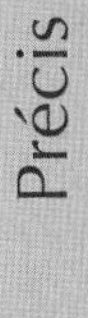

2. Les adjectifs possessifs

On accorde les adjectifs possessifs en genre et en nombre avec le nom qui suit, c'est-à-dire avec « l'objet » possédé. On les accorde aussi en fonction du « possesseur ».

	Une chose possédée		Plusieurs choses possédées	
Un seul possesseur	masculin	féminin	masculin	féminin
Je Tu Il/Elle	→ ***Mon*** *sac* → ***Ton*** *sac* → ***Son*** *sac*	→ ***Ma*** *ville /* ***Mon*** *amie* → ***Ta*** *ville /* ***Ton*** *amie* → ***Sa*** *ville /* ***Son*** *amie*	→ ***Mes*** *amis* → ***Tes*** *amis* → ***Ses*** *amis*	→ ***Mes*** *amies* → ***Tes*** *amies* → ***Ses*** *amies*
Plusieurs possesseurs	masculin	féminin	masculin	féminin
Nous Vous Ils/elles	→ ***Notre*** *collège* → ***Votre*** *collège* → ***Leur*** *collège*	→ ***Notre*** *classe* → ***Votre*** *classe* → ***Leur*** *classe*	→ ***Nos*** *professeurs* → ***Vos*** *professeurs* → ***Leurs*** *professeurs*	→ ***Nos*** *affaires* → ***Vos*** *affaires* → ***Leurs*** *affaires*

3. Les adjectifs indéfinis

Les adjectifs indéfinis expriment une quantité ou une qualité.

a. Une quantité

0	aucun/aucune → *Je n'ai **aucune** idée.* ⚠ n'oublie pas le **ne** de la négation.
1	chaque → ***Chaque** après-midi, je fais du sport.*
2 ou plus	plusieurs → ***Plusieurs** personnes sont déjà là !* certains/certaines → ***Certaines** personnes sont arrivées.* différents/différentes → *Il y a **différents** avis.*
Totalité	tout/toute/toutes/tous → ***Tous** les jours, je regarde **toutes** les séries à la télé.* ⚠ **tout** s'accorde en genre et en nombre avec le nom qui suit.

b. Une qualité

- **même/mêmes**

→ *C'est toujours la **même** chose !*

- **autre/autres**

→ *Les **autres** garçons sont très gentils.*

4. Les pronoms

Ils servent à éviter les répétitions.

a. Les pronoms compléments

- **Le, la, les**

Les pronoms compléments remplacent un nom précédé par un article défini (*le, la, les*), un adjectif possessif (*mon, ton, son...*) ou un adjectif démonstratif (*ce, cet, cette*).

	Singulier	Pluriel
Masculin	**le** → *Je vois <u>le ciel</u>. → Je **le** vois.*	**les** → *Ils vendent <u>les billets</u> du concert.* *→ Ils **les** vendent.* → *Je range <u>mes affaires</u>.* *→ Je **les** range.*
	l'+ verbe commençant par une voyelle → *Il achète <u>le journal</u>. → Il **l'**achète.*	
Féminin	**la** → *Elles regardent <u>la télévision</u>.* *→ Elles **la** regardent.*	
	l' + verbe commençant par une voyelle → *J'aime <u>cette voiture</u>. → Je **l'**aime.*	

• En

en remplace un nom précédé par un article partitif (*de, du,* ou *des*) ou un article indéfini (*un, une, des*).

→ *Tu veux <u>du pain</u> ? → Oui, j'**en** veux.*

*Tu as <u>des frères</u> ? → Oui, j'**en** ai deux.*

• Y

y remplace un complément précédé par **à.**

→ *Tu vas <u>à la piscine</u> demain ? → Oui, j'**y** vais.*

⚠ Le pronom complément est toujours placé avant le verbe, sauf à l'impératif affirmatif.

→ *Je fais <u>mes exercices</u>.*

*→ Je **les** fais.*

*→ Fais-**les**.*

→ *Je fais <u>des exercices</u>.*

*→ J'**en** fais.*

*→ Fais-**en**.*

→ *Vous allez <u>au collège.</u>*

*→ Vous **y** allez.*

*→ Allez-**y**.*

b. Les pronoms relatifs

Les pronoms relatifs servent à relier deux phrases pour n'en faire qu'une. Ils peuvent remplacer une personne ou une chose (un objet, un être inanimé).

• **Qui**

Le pronom relatif **qui** a une fonction de sujet.

→ *Voici* ***la terrasse*** *!* ***Cette terrasse*** *donne accès au jardin.*

Voici la terrasse ***qui*** *donne accès au jardin.*

• **Que**

Le pronom relatif **que** a une fonction de complément d'objet direct (COD).

→ ***Les papiers*** *polluent. Tu jettes* ***les papiers*** *dans la rue.*

Les papiers ***que*** *tu jettes dans la rue polluent.*

 Devant une voyelle, **que** devient **qu'**.

→ *Le papier* ***qu'****Alex utilise est recyclé.*

• **Où**

Le pronom relatif **où** a une fonction de complément de lieu.

→ *J'ai grandi dans* ***la ville****.* ***La ville*** *s'appelle Aurillac.*

La ville ***où*** *j'ai grandi s'appelle Aurillac.*

II. Autour du verbe

1. Les verbes pronominaux

→ *Je* ***me*** *lève*

Tu ***te*** *lèves*

Il/Elle/On ***se*** *lève*

Nous ***nous*** *levons*

Vous ***vous*** *levez*

Ils/Elles ***se*** *lèvent*

2. L'impératif

a. Emploi

On l'utilise pour :

- donner un ordre ;
- exprimer une interdiction ;
- donner un conseil ;
- donner une indication.

→ ***Prenez*** *la première à droite.*

b. Formation

On forme l'impératif comme le présent mais attention, à la 2e personne du singulier, on supprime le « s » pour les verbes du 1er groupe et certains du 3e groupe comme *ouvrir, offrir…*

L'impératif n'a que 3 personnes et pas de pronom sujet.

→ *Danse*

Dansons

Dansez

3. Le passé récent

a. Emploi

On l'utilise pour parler d'une action passée, proche du présent.

→ *Je* ***viens de*** *manger.*

b. Formation

On forme le passé récent avec :

venir au présent + **de** (**d'** + voyelle) + infinitif

→ *Il* ***vient de*** *partir à la gare.*

4. Le présent progressif

a. Emploi

On l'utilise pour parler d'une action en cours de réalisation.

→ *Ils sont* ***en train de*** *regarder un film.*

b. Formation

On forme le présent progressif avec :

être au présent + **en train de** + infinitif

→ *Je suis* ***en train de*** *ranger ma chambre.*

5. Le futur proche

a. Emploi

On l'utilise pour parler d'une action future, proche du présent.

→ *Je **vais faire** la vaisselle.*

b. Formation

On forme le futur proche avec :

aller au présent + **infinitif**

→ *Nous **allons dormir***

6. Le futur simple

a. Emploi

On utilise le futur simple pour parler de projets.

→ *On **visitera** la région, on **goûtera** aux spécialités québécoises, on **s'amusera** bien avec nos correspondants.*

b. Formation

- **Pour les verbes en –er et –ir, on forme le futur avec :**

infinitif du verbe + **terminaisons**

→ *Je visiter**ai***
*Tu visiter**as***
*Il/Elle/On visiter**a***
*Nous visiter**ons***
*Vous visiter**ez***
*Ils/Elles visiter**ont***

- **Pour les verbes en –re :**

radical du verbe + **terminaisons**

→ *Je prendr**ai**, te prendr**as***

 Attention aux verbes irréguliers

Avoir → j'aurai, tu auras...

Être → je serai, tu seras...

Faire → je ferai, tu feras...

7. Le passé composé

a. Emploi

On l'utilise pour parler d'un événement passé.

→ *J'**ai mangé** une pomme.*

b. Formation

On forme le passé composé avec :

avoir ou **être** au présent + **participe passé**

→ *J'ai mangé*	*Je suis allé(e)*
Tu as mangé	*Tu es allé(e)*
Il/Elle/On a mangé	*Il/Elle/On est allé(e)*
Nous avons mangé	*Nous sommes allé(e)s*
Vous avez mangé	*Vous êtes allé(e)(s)*
Ils/ Elles ont mangé	*Ils/ Elles sont allé(e)s*

Le plus souvent, on utilise **avoir** pour conjuguer au passé composé, mais les verbes suivants se conjuguent toujours avec **être :**

aller, venir, arriver, partir, entrer, tomber, naître, mourir, rester, tomber, devenir.

→ *Simon **est arrivé** en retard !*

⚠ Les verbes suivants se conjuguent avec **être** ou **avoir** suivant leur sens :

sortir, monter, descendre, passer, rentrer retourner

→ *Simon **est monté** en haut en haut de la tour Eiffel.*

*Simon **a monté** sa valise.*

- **Quelques participes passés**

Verbes en –ER	
participe en **é** →	aim**é**, chant**é**, jou**é**, all**é**...

Verbes en –IR	
participe passé en **i** →	fin**i**, grand**i**, part**i**...
⚠ sauf :	
offrir → off**ert**	ouvrir → ouv**ert**
découvrir → découv**ert**	mourir → m**ort**
souffrir → souff**ert**	

Précis

Autres verbes	
répondre → répond**u**	écrire → écr**it**
entendre → entend**u**	prendre → pr**is**
voir → v**u**	mettre → m**is**
connaître → conn**u**	naître → n**é**
croire → cr**u**	être → **été**
dire → d**it**	avoir → **eu**

c. L'accord du participe passé

Quand le verbe se conjugue avec **être**, on accorde le participe passé avec le sujet.

→ *Hélène est arrivé***e**.

Quand le verbe est conjugué avec **avoir**, on n'accorde jamais avec le sujet. On accorde avec le complément d'objet s'il est placé avant le verbe sinon on ne fait pas l'accord.

→ *J'ai oublié tes clés. → Pas d'accord*

*Mes clés ? Je les ai oublié***es***. → Accord*

8. L'imparfait

a. Emploi

On l'utilise pour faire une description dans le passé.

→ *Elle* ***avait*** *13 ans, elle* ***était*** *grande pour son âge.*

b. Formation

On forme l'imparfait avec :

radical de la 1re personne du pluriel du présent + **terminaisons**

→ *Jouer : nous jouons → jou*

*Je jou***ais**

*Tu jou***ais**

*Il/Elle/On jou***ait**

*Nous jou***ions**

*Vous jou***iez**

*Ils/Elles jou***aient**

⚠ Seul le verbe **être** est irrégulier → j'étais, tu étais, il était, nous étions, vous étiez, ils étaient.

III. La phrase

1. La phrase négative

a. Aux temps simples

Sujet + **ne** + verbe + **plus**
jamais
rien
personne

→ *Je* ***n'****aime* ***pas*** *le rap !*
Il ***n'****a* ***jamais*** *parlé à Paul*
Léon ***n'****aime* ***rien****.*
Gary ***n'****a vu* ***personne****.*

b. Au passé composé

Sujet + **ne** + être ou avoir + **plus** + participe passé
jamais
rien

→ *Je* ***ne*** *suis* ***pas*** *allé au concert.*
Il ***n'****a* ***jamais*** *mangé de cuisses de grenouille.*
Nous ***n'****avons* ***rien*** *dit.*

⚠ Attention à l'exception, au passé composé, **personne** se place après le participe passé.

→ *Je* ***n'****ai vu* ***personne****, hier soir, au karaoké.*

2. La phrase interrogative

Il existe plusieurs façons de poser des questions.

- L'intonation montante

→ *Tu as vu le film hier ?*

- Est-ce que

→ ***Est-ce que*** *tu as vu le film hier ?*

- **Interrogatif** + verbe ou **interrogatif** + **est-ce que**

→ ***Comment*** *elle est montée ? =* ***Comment est-ce qu'****elle est montée ?*

Précis

IV. La localisation

1. Localisation dans l'espace

Il existe de nombreuses expressions de localisation : *dans, entre, devant, derrière, à gauche, à droite, côté de, en face de...*

Lili est ***devant*** *le cube.*

Lili est ***derrière*** *le cube.*

Lili est ***à côté*** *du cube.*

2. Localisation dans le temps

Lundi 12 octobre	Samedi 17 octobre	Dimanche 18 octobre	Lundi 19 octobre	Mardi 20 octobre	Mercredi 21 octobre	Lundi 26 octobre
Il y a *une semaine* *La semaine* ***dernière***	***Avant-hier***	***Hier***	***Aujourd'hui***	***Demain***	***Après-demain***	*La semaine* ***prochaine*** */* ***Dans*** *une semaine*

V. La cause et la conséquence

1. La cause

Pour exprimer la cause, on peut utiliser :

- **Parce que**

➔ *Les gens polluent* ***parce qu'****ils ne font pas attention.*

- **À cause de** + nom ou pronom tonique

➔ *Les gorilles disparaissent* ***à cause de la*** *déforestation.*

Les dauphins risquent de disparaître. C'est ***à cause de*** *nous !*

	+ nom masculin	+ nom féminin	+ nom pluriel
à cause de	→ à cause **du** ➔ *La neige fond* ***à cause du*** *réchauffement climatique.*	→ à cause **de la** ➔ *Les ours polaires sont en danger* ***à cause de la*** *fonte de la banquise.*	→ à cause **des** ➔ *les forêts diminuent* ***à cause des*** *incendies.*
	⚠ Quand le nom commence par une voyelle cela devient : à cause **d'** ➔ *C'est* ***à cause d'****elle.*		

 **à cause de** introduit plutôt une cause négative.

2. La conséquence

Pour exprimer la conséquence, on peut utiliser :

- Donc

→ *Nos déchets s'accumulent, il faut **donc** les recycler !*

- C'est pour ça que

→ *Notre planète est maltraitée, **c'est pour ça que** nous devons la protéger !*

VI. La comparaison

- Comparer avec un adjectif

plus	adjectif	**que/qu'**	→ *La France est plus petite que l'Argentine.*
moins			
autant			

- Comparer avec un nom

plus	**de/d'**	nom	**que/qu'**	→ *La tour Jin Mao a **autant** d'étages que les tours Petronas.*
moins				
autant				

- Comparer avec un verbe

verbe	**plus que/qu'**	→ *Paul travaille **moins que** Cécile.*
	moins que/qu'	
	autant que/qu'	

 Attention aux comparatif irréguliers

bon → **meilleur**

→ *Nathalie est **meilleure que** Simon en natation.*

bien → **mieux**

→ *Héloise dessine **mieux que** les autres.*

mauvais → **pire** ou **plus mauvais(e)**

→ *Ce résultat est **pire que** le précédent.*

Précis

CONJUGAISONS

	Présent	Impératif	Passé composé	Imparfait	Futur
AVOIR	J'ai Tu as Il/Elle/On a Nous avons Vous avez Ils/Elles ont	 Aie Ayons Ayez 	J'ai eu Tu as eu Il/Elle/On a eu Nous avons eu Vous avez eu Ils/Elles ont eu	J'avais Tu avais Il/Elle/On avait Nous avions Vous aviez Ils/Elles avaient	J'aurai Tu auras Il/Elle/On aura Nous aurons Vous aurez Ils/Elles auront
ÊTRE	Je suis Tu es Il/Elle/On est Nous sommes Vous êtes Ils/Elles sont	 Sois Soyons Soyez 	J'ai été Tu as été Il/Elle/On a été Nous avons été Vous avez été Ils/Elles ont été	J'étais Tu étais Il/Elle/On était Nous étions Vous étiez Ils/Elles étaient	Je serai Tu seras Il/Elle/On sera Nous serons Vous serez Ils/Elles seront
ALLER	Je vais Tu vas Il/Elle/On va Nous allons Vous allez Ils/Elles vont	 Va Allons Allez 	Je suis allé(e) Tu es allé(e) Il/Elle/On est allé(e) Nous sommes allé(e)s Vous êtes allé(e)(s) Ils/Elles sont allé(e)s	J'allais Tu allais Il/Elle/On allait Nous allions Vous alliez Ils/Elles allaient	J'irai Tu iras Il/Elle/On ira Nous irons Vous irez Ils/Elles iront
FAIRE	Je fais Tu fais Il/Elle/On fait Nous faisons Vous faites Ils/Elles font	 Fais Faisons Faites 	J'ai fait Tu as fait Il/Elle/On a fait Nous avons fait Vous avez fait Ils/Elles ont fait	Je faisais Tu faisais Il/Elle/On faisait Nous faisions Vous faisiez Ils/Elles faisaient	Je ferai Tu feras Il/Elle/On fera Nous ferons Vous ferez Ils/Elles feront
VERBES EN –ER VISITER	Je visite Tu visites Il/Elle/On visite Nous visitons Vous visitez Ils/Elles visitent	 Visite Visitons Visitez 	J'ai visité Tu as visité Il/Elle/On a visité Nous avons visité Vous avez visité Ils/Elles ont visité	Je visitais Tu visitais Il/Elle/On visitait Nous visitions Vous visitiez Ils/Elles visitaient	Je visiterai Tu visiteras Il/Elle/On visitera Nous visiterons Vous visiterez Ils/Elles visiteront
S'INTÉRESSER	Je m'intéresse Tu t'intéresses Il/Elle/On s'intéresse Nous nous intéressons Vous vous intéressez Ils/Elles s'intéressent	 Intéresse-toi Intéressons-nous Intéressez-vous 	Je me suis intéressé(e) Tu t'es intéressé(e) Il/Elle/On s'est intéressé(e) Nous nous sommes intéressé(e)s Vous vous êtes intéressé(e)(s) Ils/Elles se sont intéressé(e)s	Je m'intéressais Tu t'intéressais Il/Elle/On s'intéressait Nous nous intéressions Vous vous intéressiez Ils/Elles s'intéressaient	Je m'intéresserai Tu t'intéresseras Il/Elle/On s'intéressera Nous nous intéresserons Vous vous intéresserez Ils/Elles s'intéresseront

	VERBES EN -CER MENACER	VERBES EN -GER PROTÉGER	VERBES EN -ETER JETER	VERBES EN –ÉRER PRÉFÉRER	VERBES EN -YER ENVOYER
Présent	Je menace Tu menaces Il/Elle/On menace Nous menaçons Vous menacez Ils/Elles menacent	Je protège Tu protèges Il/Elle/On protège Nous protégeons Vous protégez Ils/Elles protègent	Je jette Tu jettes Il/Elle/On jette Nous jetons Vous jetez Ils/Elles jettent	Je préfère Tu préfères Il/Elle/On préfère Nous préférons Vous préférez Ils/Elles préfèrent	J'envoie Tu envoies Il/Elle/On envoie Nous envoyons Vous envoyez Ils/Elles envoient

	Présent	Impératif	Passé composé	Imparfait	Futur
VERBES RÉGULIERS EN –IR CHOISIR	Je choisis Tu choisis Il/Elle/On choisit Nous choisissons Vous choisissez Ils/Elles choisissent	Choisis Choisissons Choisissez	J'ai choisi Tu as choisi Il/Elle/On a choisi Nous avons choisi Vous avez choisi Ils/Elles ont choisi	Je choisissais Tu choisissais Il/Elle/On choisissait Nous choisissions Vous choisissiez Ils/Elles choisissaient	Je choisirai Tu choisiras Il/Elle/On choisira Nous choisirons Vous choisirez Ils/Elles choisiront
DORMIR	Je dors Tu dors Il/Elle/On dort Nous dormons Vous dormez Ils/Elles dorment	Dors Dormons Dormez	J'ai dormi Tu as dormi Il/Elle/On a dormi Nous avons dormi Vous avez dormi Ils/Elles ont dormi	Je dormais Tu dormais Il/Elle/On dormait Nous dormions Vous dormiez Ils/Elles dormaient	Je dormirai Tu dormiras Il/Elle/On dormira Nous dormirons Vous dormirez Ils/Elles dormiront
PARTIR	Je pars Tu pars Il/Elle/On part Nous partons Vous partez Ils/Elles partent	Pars Partons Partez	Je suis parti(e) Tu es parti(e) Il/Elle/On est parti(e) Nous sommes parti(e)s Vous êtes parti(e)(s) Ils/Elles sont parti(e)s	Je partais Tu partais Il/Elle/On partait Nous partions Vous partiez Ils/Elles partaient	Je partirai Tu partiras Il/Elle/On partira Nous partirons Vous partirez Ils/Elles partiront
VENIR	Je viens Tu viens Il/Elle/On vient Nous venons Vous venez Ils/Elles viennent	Viens Venons Venez	Je suis venu(e) Tu es venu(e) Il/Elle/On est venu(e) Nous sommes venu(e)s Vous êtes venu(e)(s) Ils/Elles sont venu(e)s	Je venais Tu venais Il/Elle/On venait Nous venions Vous veniez Ils/Elles venaient	Je viendrai Tu viendras Il/Elle/On viendra Nous viendrons Vous viendrez Ils/Elles viendront
POUVOIR	Je peux Tu peux Il/Elle/On peut Nous pouvons Vous pouvez Ils/Elles peuvent		J'ai pu Tu as pu Il/Elle/On a pu Nous avons pu Vous avez pu Ils/Elles ont pu	Je pouvais Tu pouvais Il/Elle/On pouvait Nous pouvions Vous pouviez Ils/Elles pouvaient	Je pourrai Tu pourras Il/Elle/On pourra Nous pourrons Vous pourrez Ils/Elles pourront
VOIR	Je vois Tu vois Il/Elle/On voit Nous voyons Vous voyez Ils/Elles voient	Vois Voyons Voyez	J'ai vu Tu as vu Il/Elle/On a vu Nous avons vu Vous avez vu Ils/Elles ont vu	Je voyais Tu voyais Il/Elle/On voyait Nous voyions Vous voyiez Ils/Elles voyaient	Je verrai Tu verras Il/Elle/On verra Nous verrons Vous verrez Ils/Elles verront
VOULOIR	Je veux Tu veux Il/Elle/On veut Nous voulons Vous voulez Ils/Elles veulent	Veuillez	J'ai voulu Tu as voulu Il/Elle/On a voulu Nous avons voulu Vous avez voulu Ils/Elles ont voulu	Je voulais Tu voulais Il/Elle/On voulait Nous voulions Vous vouliez Ils/Elles voulaient	Je voudrai Tu voudras Il/Elle/On voudra Nous voudrons Vous voudrez Ils/Elles voudront

	Présent	Impératif	Passé composé	Imparfait	Futur
FALLOIR	Il faut		Il a fallu	Il fallait	Il faudra
APPRENDRE	J'apprends		J'ai appris	J'apprenais	J'apprendrai
	Tu apprends	Apprends	Tu as appris	Tu apprenais	Tu apprendras
	Il/Elle/On apprend		Il/Elle/On a appris	Il/Elle/On apprenait	Il/Elle/On apprendra
	Nous apprenons	Apprenons	Nous avons appris	Nous apprenions	Nous apprendrons
	Vous apprenez	Apprenez	Vous avez appris	Vous appreniez	Vous apprendrez
	Ils/Elles apprennent		Ils/Elles ont appris	Ils/Elles apprenaient	Ils/Elles apprendront
BOIRE	Je bois		J'ai bu	Je buvais	Je boirai
	Tu bois	Bois	Tu as bu	Tu buvais	Tu boiras
	Il/Elle/On boit		Il/Elle/On a bu	Il/Elle/On buvait	Il/Elle/On boira
	Nous buvons	Buvons	Nous avons bu	Nous buvions	Nous boirons
	Vous buvez	Buvez	Vous avez bu	Vous buviez	Vous boirez
	Ils/Elles boivent		Ils/Elles ont bu	Ils/Elles buvaient	Ils/Elles boiront
DESCENDRE	Je descends		Je suis descendu(e)	Je descendais	Je descendrai
	Tu descends	Descends	Tu es descendu(e)	Tu descendais	Tu descendras
	Il/Elle/On descend		Il/Elle/On est descendu(e)	Il/Elle/On descendait	Il/Elle/On descendra
	Nous descendons	Descendons	Nous sommes descendu(e)s	Nous descendions	Nous descendrons
	Vous descendez	Descendez	Vous êtes descendu(e)(s)	Vous descendiez	Vous descendrez
	Ils/Elles descendent		Ils/Elles sont descendu(e)s	Ils/Elles descendaient	Ils/Elles descendront
DIRE	Je dis		J'ai dit	Je disais	Je dirai
	Tu dis	Dis	Tu as dit	Tu disais	Tu diras
	Il/Elle/On dit		Il/Elle/On a dit	Il/Elle/On disait	Il/Elle/On dira
	Nous disons	Disons	Nous avons dit	Nous disions	Nous dirons
	Vous dites	Dites	Vous avez dit	Vous disiez	Vous direz
	Ils/Elles disent		Ils/Elles ont dit	Ils/Elles disaient	Ils/Elles diront
ÉCRIRE	J'écris		J'ai écrit	J'écrivais	J'écrirai
	Tu écris	Écris	Tu as écrit	Tu écrivais	Tu écriras
	Il/Elle/On écrit		Il/Elle/On a écrit	Il/Elle/On écrivait	Il/Elle/On écrira
	Nous écrivons	Écrivons	Nous avons écrit	Nous écrivions	Nous écrirons
	Vous écrivez	Écrivez	Vous avez écrit	Vous écriviez	Vous écrirez
	Ils/Elles écrivent		Ils/Elles ont écrit	Ils/Elles écrivaient	Ils/Elles écriront
ÉTEINDRE	J'éteins		J'ai éteint	J'éteignais	J'éteindrai
	Tu éteins	Éteins	Tu as éteint	Tu éteignais	Tu éteindras
	Il/Elle/On éteint		Il/Elle/On a éteint	Il/Elle/On éteignait	Il/Elle/On éteindra
	Nous éteignons	Éteignons	Nous avons éteint	Nous éteignions	Nous éteindrons
	Vous éteignez	Éteignez	Vous avez éteint	Vous éteigniez	Vous éteindrez
	Ils/Elles éteignent		Ils/Elles ont éteint	Ils/Elles éteignaient	Ils/Elles éteindront

	Présent	Impératif	Passé composé	Imparfait	Futur
LIRE	Je lis Tu lis Il/Elle/On lit Nous lisons Vous lisez Ils/Elles lisent	 Lis Lisons Lisez	J'ai lu Tu as lu Il/Elle/On a lu Nous avons lu Vous avez lu Ils/Elles ont lu	Je lisais Tu lisais Il/Elle/On lisait Nous lisions Vous lisiez Ils/Elles lisaient	Je lirai Tu liras Il/Elle/On lira Nous lirons Vous lirez Ils/Elles liront
METTRE	Je mets Tu mets Il/Elle/On met Nous mettons Vous mettez Ils/Elles mettent	 Mets Mettons Mettez	J'ai mis Tu as mis Il/Elle/On a mis Nous avons mis Vous avez mis Ils/Elles ont mis	Je mettais Tu mettais Il/Elle/On mettait Nous mettions Vous mettiez Ils/Elles mettaient	Je mettrai Tu mettras Il/Elle/On mettra Nous mettrons Vous mettrez Ils/Elles mettront
RÉPONDRE	Je réponds Tu réponds Il/Elle/On répond Nous répondons Vous répondez Ils/Elles répondent	 Réponds Répondons Répondez	J'ai répondu Tu as répondu Il/Elle/On a répondu Nous avons répondu Vous avez répondu Ils/Elles ont répondu	Je répondais Tu répondais Il/Elle/On répondait Nous répondions Vous répondiez Ils/Elles répondaient	Je répondrai Tu répondras Il/Elle/On répondra Nous répondrons Vous répondrez Ils/Elles répondront
SUIVRE	Je suis Tu suis Il/Elle/On suit Nous suivons Vous suivez Ils/Elles suivent	 Suis Suivons Suivez	J'ai suivi Tu as suivi Il/Elle/On a suivi Nous avons suivi Vous avez suivi Ils/Elles ont suivi	Je suivais Tu suivais Il/Elle/On suivait Nous suivions Vous suiviez Ils/Elles suivaient	Je suivrai Tu suivras Il/Elle/On suivra Nous suivrons Vous suivrez Ils/Elles suivront
VIVRE	Je vis Tu vis Il/Elle/On vit Nous vivons Vous vivez Ils/Elles vivent	 Vis Vivons Vivez	J'ai vécu Tu as vécu Il/Elle/On a vécu Nous avons vécu Vous avez vécu Ils/Elles ont vécu	Je vivais Tu vivais Il/Elle/On vivait Nous vivions Vous viviez Ils/Elles vivaient	Je vivrai Tu vivras Il/Elle/On vivra Nous vivrons Vous vivrez Ils/Elles vivront

Les sons du français

Voyelles			
	[i] vie, recycler	[y] rue	[u] ours
	[E] j'ai visité, les, des, c'est, visiter, vous visitez	[ɛ] je parlais, très, carnet, forêt, mer	
	[ø] deux, amoureuse	[œ] râleur	[ə] je, de
	[o] spéléo, au, château	[ɔ] ordinateur	
	[A] = [a] ou [ɑ] la		
	[Ẽ] = [ɛ̃] ou [œ̃] un, copain, magasin, bien, plein, sympa	[ɑ̃] devant, cent, chambre	[ɔ̃] nous allons, combien

Les semi-voyelles	[ɥ] huit	[w] moi	[j] fille, avion, crayon

Consonnes			
	[p] petit, apprécier	[t] tu, transmettre	[k] quatre, cinq, cabane
	[b] poubelle	[d] dent	[g] gauche
	[m] métro, commémorer	[n] nos, environnement	[ɲ] montagne
	[f] neuf, refuser, affiche, éléphant, francophile	[s] se, danser, classe, ça, vacances	[ʃ] affiche
	[v] vous	[z] organiser, onze, les‿heures	[ʒ] collège, je
	[l] la, belle	[ʀ] remplir, arriver	

Phonie-graphie

Je prononce…	J'écris…		
[A]	à → *à* â → *château*	e + mme → *femme* a + *la*	
[i]	i → *vie*	y → *recycler*	
[y]	u → *rue*	eu (participe passé du verbe avoir) → *j'ai eu*	
[u]	ou → *ours*		
[E]	é → *j'ai visité*	e + consonne muette → *les*	
[ɛ]	ai → *je parlais* et → *carnet* e + consonne prononcée → *mer*	è → *très* ê → *forêt*	
[ø]	eu → *deux*	eu + [z] → *amoureuse*	
[œ]	eu + consonne prononcée (sauf [z]) → *râleur*		
[ə]	e → *je ; chemin*		
[o]	o → *spéléo* o + consonne muette → *trop* o + [z] → *chose*	eau → *château* au → *au*	
[ɔ]	o + consonne prononcée (sauf [z]) → *l'ordinateur*		
[Ẽ]	un → *un* ein → *plein*	in → *magasin* ien → *bien*	ain → *copain* ym → *sympa*
[ɑ̃]	an → *devant*	en → *cent*	am → *chambre* em → *emballage*
[ɔ̃]	on → *nous allons*	om → *combien*	
[ɥ]	ui → *huit*		
[w]	oi → *moi* oin → *loin*	ou + voyelle prononcée →*bouée*	oy → *citoyen*
[j]	ill → *fille* y → *crayon*	i + voyelle prononcée → *avion*	eil → *surveillant*
[k]	k → *kilo* c + a/o/u → *cabane* q → *cinq*	c + consonne → *recyclage* qu → *conséquence* cc → *accrobranche*	
[s]	s en début de mot → *souhaiter* ss → *classe*	ç → *ça* s à côté d'une consonne → *insolite, compost*	c + e/i → *glace* tion → *décoration*
[z]	s entre deux voyelles → *oiseau* z → *onze*	s de liaison → *Ils‿ont* x de liaison → *dix‿heures*	
[g]	g + a/o/u → *gauche*	gu + i/e → *déguiser*	
[ʒ]	j → *je*	g + e/i → *collège*	
[f]	f → *refuser*	ff → *affiche*	ph → *éléphant*

Mot français	ANGLAIS	ESPAGNOL	PORTUGAIS	CHINOIS	ARABE
A					
abriter (s')	take shelter	resguardarse	abrigar-se	躲避	احتمَى (من)
accrobranche , n. m.	aerial assault course	subida a árboles	trepar às árvores	爬树	تسلق على الشجر
accuser	accuse	acusar	acusar	指责	اتّهَم
action, n. f.	action	acción	acção	动作	عَمَل
adresser (s')	speak to/address	dirigirse	dirigir-se	对某人讲话	خاطب
affiche, n. f.	poster	cartel	cartaz	布告	إعلان
agir	act	actuar	agir	行动	تَصَرّف
agréable	pleasant/nice	agradable	agradável	愉快的	لطيف
aigle, n. m.	eagle	águila	águia	鹰	نَسْر
allumer	light/switch on	encender	acender	点亮/打开	أشْعَل
améliorer	improve	mejorar	melhorar	改善	حَسّنَ
amuser (s')	have fun/enjoy oneself	divertirse	divertir-se	游玩	تسلِي
ancêtre, n. m.	ancestor	antepasado	ancestral	先辈	سَلَف
anglophone	English-speaking	anglófono	anglófono	说英语的人	مُتكلّم بالإنجليزية
apprécier	like	apreciar	apreciar	欣赏	استحسن
armoire, n. f.	wardrobe	armario	armário	柜子	خزانة
atterrissage, n. m.	landing	aterrizaje	aterragem	着陆	هبوط
auditeur, n. m.	listener	auditor	auditor	听众	مُستَمع
autorisation, n. f.	authorisation	autorización	autorização	许可	رُخصَة
aventure, n. f.	adventure	aventura	aventura	冒险	مغامرة
aventurier, n. m.	adventurer	aventurero	aventureiro	冒险家	مُغامِر
avis, n. m.	opinion/advice	opinión, aviso	opinião	意见	رأيَ
B					
bagarrer (se)	fight/brawl	pelearse	bater-se	打架	تشاجر
baleine, n. f.	whale	ballena	baleia	鲸	حوت
banquise, n. f.	pack ice	banco de hielo	banco de gelo	大浮冰	جليد طاف
bibliothèque, n. f.	library	biblioteca	biblioteca	图书馆	مكتبة
botte, n. f.	boot	bota	bota	靴子	جزمة
bougie, n. f.	candle	vela	vela	蜡烛	شمعة
bowling, n. m.	bowling/bowling alley	bolos	bowling	保龄球	بولينغ
bureau, n. m.	office/desk	oficina	secretária	办公室	مكتب
C					
cabane, n. f.	hut	cabaña	cabana	简陋的小屋	كوخ
canapé, n. m.	sofa/settee	sofá	sofá	长沙发	كنبة
cantine, n. f.	canteen	comedor	cantina	食堂	مِطعم (مدرسي)
caractère, n. m.	character	carácter	carácter	性格	طَبْع
carnaval, n. m.	carnival	carnaval	Carnaval	嘉年华会	مهرجان
carré	square	cuadrado	quadrado	方的	مُربّع
carrefour, n. m.	crossroads/junction	cruce	cruzamento	十字路口	تَقَاطع
carton, n. m.	cardboard/cardboard box	caja de cartón	cartão	纸盒	كرتونة
cassette, n. f.	tape	casete	cassete	录像带	شريط مسجل
cause, n. f.	cause/reason	causa	causa	原因	سبب
cave, n. f.	cellar	bodega	cava	地窖	كهف
chambre, n. f.	bedroom	habitación	quarto	房间	غرفة
champs, n. m.	fields/countryside	campo	campo	田野	حقل
chance , n. f.	luck/chance	suerte	sorte	运气	حظ
chargeur, n. m.	charger/loader	cargador	carregador	充电器	شاحن
château, n. m.	castle/palace	castillo	castelo	城堡	حذاء
chaussure, n. f.	shoe	zapato	sapato	鞋子	حذاء
chemin, n. m.	track/country road	camino	caminho	路	طريق
cheminée, n. f.	chimney/fireplace	chimenea	chaminé	壁炉	مدخنة
circuit, n. m.	circuit/tour	circuito	circuito	线路	دورة
citoyen, n. m.	citizen	ciudadano	cidadão	公民	مواطن
clé, n. f.	key	llave	chave	钥匙	مفتاح
climat, n. m.	climate	clima	clima	气候	مناخ
collection, n. m.	collection	colección	colecção	收藏	تشكيلة
commémorer	commemorate	conmemorar	comemorar	纪念	أحْيَا ذِكرَى

Mot français	ANGLAIS	ESPAGNOL	PORTUGAIS	CHINOIS	ARABE
communiquer	communicate	comunicar	comunicar	告知	أبْلَغَ
comportement, n. m.	behaviour	comportamiento	comportamento	行为	سلوك
compost, n. m.	compost	compost	composto	堆肥	سَمَادْ
compostage, n. m.	composting	compostaje	compostagem	复合肥料	تسميد
conséquence, n. f.	consequence	consecuencia	consequência	结果	نتيجة
consolider	consolidate	consolidar	consolidar	加强	عَزّزَ
consommer	consume (eat/drink)	consumir	consumir	消费	استهلك
construire	build/construct	construir	construir	建设	شيّدَ
continent, n. m.	continent	continente	continente	大陆	قارة
coquillage, n. m.	shell	marisco	concha	贝壳	قوقعة
cosmétique	cosmetic	cosmético	cosmética	美容用的	مستحضرات تجميل
costume, n. m.	suit	vestido, traje	fato	西装	بدلة
couloir, n. m.	corridor	pasillo	corredor	走廊	رواق
couple, n. m.	couple/pair	pareja	casal	夫妇	زَوْج
courageux	brave	valiente	corajoso	勇敢的	شجاع
coûter	cost	costar	custar	值	كلّف
covoiturage, n. m.	car pool (car sharing)	compartir coche	coviaturagem	拼车	سفر مشترك بالسيارة
crabe, n. m.	crab	cangrejo	caranguejo	螃蟹	سلطعون
créer	create	crear	criar	创造	أنشأ
croiser	cross/meet	cruzar	cruzar	使交叉	لاقى
D					
dangereux	dangerous	peligroso	perigoso	危险的	خطير
déchet, n. m.	waste	residuo	resíduo	废品	نفاية
décoration, n. f.	decoration	decoración	decoração	装饰品	تزيين
décorer	decorate	decorar	decorar	装饰	زَيّنَ
décrire	describe	describir	descrever	描述	وَصَفَ
déesse, n. f.	goddess	diosa	deusa	女神	آلهة
défaut, n. m.	fault/defect	defecto	defeito	缺点	خلل
défilé, n. m.	parade/fashion show	desfile	desfile	队伍	استعراض
dégager	release	liberar, soltar	libertar	使……畅通	أخْلَى
déguiser	disguise	disfrazar	fantasiar	化装	قَنّعَ
délégué de classe, n. m.	class representative	delegado de clase	delegado de turma	班级代表	مندوب القسم
dénoncer	denounce	denunciar	denunciar	告发	فَضَحَ
dent, n. f.	tooth	diente	dente	牙齿	سِنّ (ضرس)
déplacer	move	desplazar	deslocar	挪动	تنَقّل
déranger	disturb	molestar	perturbar	打扰	أزعَجَ
descendre	go down/take down	descender	descer	下来	نَزّلَ
détruire	destroy	destruir	destruir	摧毁	حطم
développer	develop	desarrollar	desenvolver	发展	طوّرَ
deviner	guess	adivinar	adivinhar	猜测	خمّنَ
dieu, n. m.	god	dios	deus	上帝	إله
directeur, n. m.	director/headmaster	director	director	经理	مدير
discussion , n. f.	discussion	debate, discusión	discussão	讨论	نقاش
disparaître	disappear	desaparecer	desaparecer	消失	اختفى
tourne-disque, n. m.	record player	tocadiscos	gira-discos	电唱机	مشغّل الأسطوانات الموسيقية
divertir	entertain	divertir	divertir	消遣	سَلّى
divinité, n. f.	divinity	divinidad	divindade	神灵	ألوهية
donjon, n. m.	keep	torreón	torreão	城堡主塔	بِرج في حصن
dos, n. m.	back	espalda	costas	背	ظِهْر
douceur	gentleness/softness	suavidad	suavidade	温和	لطافة
douche, n. f.	shower	ducha	duche	淋浴	دوش
droite	right	derecha	direita	右边	يمين
drôle	funny/amusing	divertido	engraçado	滑稽的	مُضحك
durable	durable	duradero, sostenible	duradouro	可持续的	مُستدَام
E					
eau, n. f.	water	agua	água	水	ماء
écaille, n. f.	scale	escama	escama	鳞片	حرشف
échange, n. m.	exchange	intercambio	troca	交流	تبادل
écologie, n. f.	ecology	ecología	ecologia	生态学	علم البيئة
écologique	ecological	ecológico	ecológico	生态的	بيئي

Mot français	ANGLAIS	ESPAGNOL	PORTUGAIS	CHINOIS	ARABE
éco-geste, n. m.	ecological initiative/action	gesto ecológico	eco-gesto	环保行为	أعمال صديقة للبيئة
économiser	save/economise	ahorrar	economizar	节省	يَقتَصِد
électricité, n. f.	electricity	electricidad	electricidade	电	كهرباء
éléphant, n. m.	elephant	elefante	elefante	大象	فيل
emballage, n. m.	packaging	embalaje	embalagem	包装	تغليف
émission, n. f.	programme/broadcast	emisión	emissão	排放	برنامج (تلفزيوني)
emprunter	borrow	pedir o tomar prestado	emprestar	借	اسْتَلَف
énergie, n. f.	energy	energía	energia	能源	طاقة
enregistrer	record	guardar, registrar	registar	注册	سَجّل
entreprise, n. f.	business/company	empresa	empresa	企业	شركة
environnement, n. m.	environment	medio ambiente, entorno	ambiente	环境	بيئة
envoyer	send	enviar	enviar	寄	أرْسَل
époque, n. f.	era	época	época	时期	زَمَن
équipe, n. f.	team	equipo	equipa	团队	فريق
escalade , n. f.	climbing	escalada	escalada	攀登	تسَلق
escalier, n. m.	staircase/stairs	escalera	escada	楼梯	سُلّم
espace, n. m.	space	espacio	espaço	空间	فضاء
espèce, n. f.	species/kind	especie	espécie	种类	نوع
espérer	hope	esperar	esperar	希望	آمَل
essayer	try	probar	tentar	尝试	حاول
essence, n. f.	petrol	gasolina	gasolina	汽油	بنزين
établissement , n. m.	establishment/organisation	establecimiento	estabelecimento	机构	مؤسسة
étoile, n. f.	star	estrella	estrela	星星	نجمة
étonner (s')	be surprised	sorprenderse	admirar-se	惊奇	اندهَش
événement, n. m.	event	evento, acontecimiento	acontecimento	事件	حَدَث
éviter	avoid/prevent	evitar	evitar	避免	تجَنّب
expérience, n. f.	experience/experiment	experiencia	experiência	经验	تجربة
explorateur, n. m.	explorer	explorador	explorador	探索	مستكشف
exposition, n. f.	exhibition	exposición	exposição	展览	معرض

F

Mot français	ANGLAIS	ESPAGNOL	PORTUGAIS	CHINOIS	ARABE
fabriquer	make/manufacture	fabricar	fabricar	制造	صَنَع
fée, n. f.	fairy	hada	fada	仙女	جنّيّة
feu d'artifice, n. m.	firework	fuegos artificiales	fogo de artifício	烟花	ألعاب نارية
feuille, n. f.	leaf/sheet/page	hoja	folha	叶子	ورقة
fiche, n. f.	card/form	ficha	ficha	卡片	جذاذة
forum, n. m.	forum	foro	fórum	论坛	منتدى
foyer, n. m.	home	hogar	lar	家庭	مأوى
francophile	francophile	francófilo	francófilo	对法友好的	شغوف بالفرنسية
francophone	French-speaking	francófono	francófono	说法语的人	متكلم بالفرنسية
fuchsia	fuchsia	fucsia	fuchsia	吊钟海棠	فوشيا

G

Mot français	ANGLAIS	ESPAGNOL	PORTUGAIS	CHINOIS	ARABE
gastronomie, n. f.	gastronomy/haute cuisine	gastronomía	gastronomia	美食学	فن الأكل
gauche	left	izquierda	esquerda	左边	يسار
géant, n. m.	giant	gigante	gigante	巨人	عملاق
geler	freeze	congelar, helar	gelar	结冰	جمّد
généreux	generous	generoso	generoso	慷慨	سخيّ
geste, n. m.	gesture/act	gesto	gesto	手势	حركة
gorille, n. m.	gorilla	gorila	gorila	大猩猩	غوريلا
goudron, n. m.	tar	alquitrán	alcatrão	柏油	زفت
gourmand	greedy/food-loving	goloso	guloso	贪吃的	أكول
graisse, n. f.	fat	grasa	gordura	脂肪	شحم
gratuit	freeze	gratuito	gratuito	免费	مجاني
grenier, n. m.	attic/loft	granero, desván	sótão	阁楼	مخزن الغلال
gronder	tell off/scold	rugir, gruñir	ralhar	训斥	دوى/وبّخ
grossier	rude/coarse	grosero	grosseiro	粗俗的	فظ
grotte, n. f.	cave	gruta, cueva	gruta	洞穴	مغارة
gymnase, n. m.	gymnasium/lower secondary school	gimnasio	ginásio	健身房	قاعة الرياضة

Mot français	ANGLAIS	ESPAGNOL	PORTUGAIS	CHINOIS	ARABE
H					
habitude	habit	costumbre	hábito	习惯	عادة
horreur	horror/dislike	horror	horror	恐怖	رعب
hydrocarbure, n. m.	hydrocarbon	hidrocarburo	hidrocarboneto	烃	محروقات
I					
idéal	ideal	ideal	ideal	理想的	مثالي
idée	idea	idea	ideia	主意	فكرة
identique	identical	idéntico	idêntico	相同的	مشابه
île, n. f.	island	isla	ilha	岛屿	جزيرة
impact, n. m.	impact	impacto	impacto	冲击	أثر
impressionnant	impressive	impresionante	impressionante	给人深刻印象的	مذهل
incendie, n. m.	fire	incendio	incêndio	火灾	حريق
incident, n. m.	incident	incidente	incidente	事件	حادث
indice, n. m.	sign/clue/index	indicio, pista	índice	迹象/指数	مؤشر
indiquer	indicate/point out	indicar	indicar	指明	يُبيِّن
infirmerie, n. f.	infirmary/first-aid room	enfermería	infirmaria	医务室	قاعة العناية الطبية
influence, n. f.	influence	influencia	influência	影响	تأثير
informatique	computing/IT	informática	informática	计算机技术的	معلوماتية
initiative, n. f.	initiative	iniciativa	iniciativa	主动性	مبادرة
inscription, n. f.	enrolment/registration	inscripción	inscrição	注册	تسجيل
inscrire	enrol/register	inscribir	inscrever	注册	سجّل
inscrire (s')	enrol/register	registrarse, inscribirse	inscrever-se	注册	سجّل نفسه
insecte, n. m.	insect	insecto	insecto	昆虫	حشرة
insolite	unusual/strange	insólito	insólito	不寻常的	غير عادٍ
intéresser (s')	be interested in	interesarse	interessar-se	感兴趣	اهتم بـ
interdiction, n. f.	ban/prohibition	prohibición	proibição	禁止	مَنْع
interview, n. f.	interview	entrevista	entrevista	采访	حوار
inventer	invent	inventar	inventar	发明	اخترع
inventer (s')	invent/imagine	inventarse	inventar-se	虚构	اختلق
inverser	invert/reverse	invertir	inverter	颠倒	قَلَبَ
itinéraire, n. m.	route/itinerary	itinerario	itinerário	线路	مسار
J					
jetable	disposable	desechable	descartável	一次性的	أحادي الاستعمال
jeter	throw	tirar, arrojar	deitar fora	丢弃	رَمَى
jeu de société, n. m.	board game	juego de mesa	jogo de sociedade	集体游戏	لعبة تثقيفية
journal, n. m.	newspaper	periódico	jornal	报纸	جريدة
journaliste , n. m.	journalist	periodista	jornalista	记者	صحفي
jumelage, n. m.	twinning	hermanamiento	germinação	配对	توأمة
justifier	justify/explain	justificar	justificar	证明	برّرَ
K					
kilo, n. m.	kilogram	kilo	quilo	公斤	كيلوغرام
koala, n. m.	koala (bear)	koala	koala	考拉	كوالا
L					
lancer	throw/launch	lanzar	lançar	启动	رمى
lanterne, n. f.	lantern/streetlight	linterna	lanterna	灯笼	مصباح
légende, n. f.	legend/key	leyenda	lenda	传说	مفتاح المصطلحات (خريطة)
légume, n. m.	vegetable	verdura	legume	蔬菜	خضار
lever	raise/lift	levantar	levantar	举起	رَفَعَ
lèvre, n. f.	lip	labio	lábio	嘴唇	شفة
librairie, n. f.	bookshop	librería	livraria	书店	ورّاقة
lieu, n. m.	place	lugar	lugar	地方	مكان
lit, n. m.	bed	cama	cama	床	فراش
localisation, n. f.	location	localización	localização	定位	تحديد الموقع
M					
magnétophone, n. m.	tape recorder	magnetófono	magnetofone	磁带录音机	مسجل أشرطة
malpoli	rude/impolite	maleducado	mal-educado	不礼貌	غير مؤدب

Mot français	ANGLAIS	ESPAGNOL	PORTUGAIS	CHINOIS	ARABE
mammifère, n. m.	mammal	mamífero	mamífero	哺乳动物	ثديي
manifestation, n. f.	demonstration/event	manifestación, acto	manifestação	示威游行	مظاهرة
manteau, n. m.	coat	abrigo	casaco	大衣	معطف
mappemonde, n. f.	map of the world/globe	mapamundi	mapa-mundo	世界地图	خارطة مسطحة للكرة الأرضية
marin	marine/maritime	marino	marinho	航海的	بحري
marron	brown	marrón, castaña	castanho	栗色的	بني
maximum, n. m.	maximum	máximo	máximo	最大值	أقصى
mécontent	dissatisfied	descontento	descontente	不满的	غاضب
médecin, n. m.	doctor	médico	médico	医生	طبيب
menacer	threaten	amenazar	ameaçar	威胁	هَدّدَ
merveilleux	marvellous/wonderful	maravilloso	maravilho	令人赞叹的	رائع
météo, n. f.	weather forecast	meteorología	meteorologia	天气预报	أحوال الطقس
métro, n. m.	underground (train system)	metro	metro	地铁	مترو
meuble, n. m.	furniture (piece of)	mueble	móvel	家具	أثاث
micro, n. m.	microphone/PC	micro	micro	话筒	مايكروفون
mimer	mime/mimic	imitar	mimar	模仿	قلّد
miroir, n. m.	mirror	espejo	espelho	镜子	مرآة
moderne	modern	moderno	moderno	现代的	عصري
monstre, n. m.	monster	monstruo	monstro	怪物	وحش
montagne, n. f.	mountain	montaña	montanha	山	جبل
montgolfière , n. f.	hot-air balloon	globo aerostático	balão de fogo	热气球	بالون حراري
mort	dead	muerte	morte	死亡	موت
moto, n. f.	motorbike	moto	mota	摩托	دراجة نارية
musée, n. m.	museum	museo	museu	博物馆	متحف
mystère, n. m.	mystery	misterio	mistério	奥秘	غموض
mythologie, n. f.	mythology	mitología	mitologia	神话	ميثولوجيا
N					
nature, n. f.	nature	naturaleza	natureza	自然	طبيعة
neige, n. f.	snow	nieve	neve	雪	ثلج
nier	deny	negar	negar	否认	أنْكَرَ
O					
océan, n. m.	ocean	océano	oceano	大洋	محيط
odeur, n. f.	smell/odour	olor	odor	味道	رائحة
œil, n. m.	eye	ojo	olho	眼睛	عين
œuvre, n. f.	work	obra	obra	著作	صَنْعَة
oiseau, n. m.	bird	pájaro	pássaro	鸟	طير
opinion, n. f.	opinion	opinión	opinião	意见	رأي
ordinateur, n. m.	computer	ordenador	computador	电脑	حاسوب
ordre, n. m.	order	orden	ordem	命令	أمْر
ordures, n. f. pl.	waste/refuse	basuras	lixo	垃圾	نفايات
orgueilleux	proud/arrogant	orgulloso	orgulhoso	骄傲的	متغطرس
oser	dare	atreverse	ousar	敢于	تَجَرّأ
ours, n. m.	bear	oso	urso	熊	دب
P					
panda, n. m.	panda	panda	panda	熊猫	باندا
paraître	appear	parecer	parecer	表现出	بدا
parapluie, n. m.	umbrella	paraguas	guarda-chuva	雨伞	مظلة
parfum, n. m.	perfume/fragrance	perfume	perfume	香水	عطر
partager	share	compartir	partilhar	分享	تقاسم
patin à glace, n. m.	ice skate	patín de cuchilla	patim de gelo	溜冰鞋	حذاء التزلج على الجليد
peau, n. f.	skin/hide	piel	pele	皮肤	بَشَرَة
pêche, n. f.	fishing	pesca	pêssego	钓鱼	صيد
perdre	lose	perder	perder	失去	فَقَدَ
permanence, n. f.	study room	sala de estudio	ATL	自修室	مداومة
pétard, n. m.	banger	petardo	petardo	鞭炮	مفرقعة
peureux	fearful	miedoso	medricas	胆怯的	خائف
physique, n. m.	physics	físico(-a)	físico	体格	فيزياء
place, n. f.	square	plaza	lugar	广场	ساحة

Mot français	ANGLAIS	ESPAGNOL	PORTUGAIS	CHINOIS	ARABE
plage, n. f.	beach	playa	praia	海滩	شاطئ
plaindre	pity/feel sorry for	compadecer	queixar-se	抱怨	اشتكى
plan, n. m.	plan/map	plan, plano, mapa	plano	计划	خريطة
planète, n. f.	planet	planeta	planeta	行星	كوكب
plante, n. f.	plant	planta	planta	植物	نبتة
plastique, n. m.	plastic	plástico	plástico	塑料	بلاستيك
pluie, n. f.	rain	lluvia	chuva	雨	مطر
plume, n. f.	feather	pluma	pena	羽毛	ريشة
poil, n. m.	hair/beard	pelo	pêlo	毛发	شَعْرٌ
poisson, n. m.	fish	pez, pescado	peixe	鱼	سمك
polaire	polar	polar	polar	极地的	قطبي
poli	polished/polite	pulido, educado	educado	有礼貌的	مؤدب/مصقول
polluer	pollute	contaminar	poluir	污染	لَوّثَ
pollution, n. f.	pollution	contaminación	poluição	污染	تلوّث
portrait, n. m.	portrait	retrato	retrato	肖像	بورتريه
posséder	own/possess	poseer	possuir	拥有	امتلك
poubelle, n. f.	bin	cubo de la basura	caixote de lixo	垃圾箱	مزبلة
pouce, n. m.	thumb/inch	pulgar	polegar	拇指	إبهام
pourboire, n. m.	tip	propina	gorjeta	小费	بقشيش
préférence, n. f.	preference	preferencia	preferência	偏好	تفضيل
préférer	prefer	preferir	preferir	更喜欢	فَضّلَ
préhistorique	prehistoric	prehistórico	pré-histórico	史前的	ما قبل التاريخ
présentateur , n. m.	presenter	presentador	apresentador	主持人	مُقدّمْ
prétentieux	pretentious	pretencioso	pretensioso	自负的	مغرور
princesse, n. f.	princess	princesa	princesa	公主	أميرة
prix, n. m.	price	precio, premio	preço	价格	ثمن
produit, n. m.	product	producto	produto	产品	منتج
profil, n. m.	profile	perfil	perfil	素质	مؤهلات/منظر جانبي
programme, n. m.	programme/program	programa	programa	方案/节目	برنامج
projet, n. m.	project/plan	proyecto	projecto	计划/项目	مشروع
promettre	promise	prometer	prometer	允诺	وّعَدَ
propre	clean	limpio	limpo	干净的	نظيف
protéger	protect	proteger	proteger	保护	حَمَى
Q					
quotidien, n. m.	daily	diario	diário	日报	حياة يومية
R					
radin	mean/stingy	rácano	avarento	吝啬的	بخيل
râleur	moaner	gruñón	queixoso	爱发牢骚的	متذمّر دائما
rallye, n. m.	rally	rally	rally	拉力赛	سباق
rassembler	assemble/gather together	reunir	juntar	聚集	جمّعَ
réagir	react	reaccionar	reagir	反应	تَفَاعَلَ
réaliser	perform/fulfil/implement	realizar	realizar	实现	أنجز
récent	recent	reciente	recente	最近的	جديد
réchauffement, n. m.	warming	recalentamiento	aquecimento	加热	تسخين
recyclable	recyclable	reciclable	reciclável	可回收的	قابل لإعادة التصنيع
recyclage, n. m.	recycling	reciclaje	reciclagem	回收	إعادة تصنيع
recycler	recycle	reciclar	reciclar	回收	أعاد تصنيع
réduire	reduce	reducir	reduzir	建设	قلّصَ
réemploi, n. m.	re-use	reutilización	reutilização	再使用	إعادة استعمال
réfléchir	reflect	reflexionar	reflectir	思考	فكّرَ
refuser	refuse	rechazar	recusar	拒绝	رَفَضَ
remplir	fill/fulfil	llenar, rellenar	preencher	装满	عبّأ
reposer	rest	descansar, volver a poner	repousar	休息	استراح
reprocher	blame/reproach	reprochar	queixar-se	批评	لامَ
réputation, n. f.	reputation	reputación	fama	名誉	سمعة
requin, n. m.	shark	tiburón	tubarão	鲨鱼	قرش
réseaux sociaux, n. m. pl.	social networks	redes sociales	redes sociais	社会网络	شبكات اجتماعية
respecter	respect	respetar	respeitar	尊敬	احترم
respirer	breathe	respirar	respirar	呼吸	تنفسَ
responsable	responsible	responsable	responsável	负责的	مسئول

Mot français	ANGLAIS	ESPAGNOL	PORTUGAIS	CHINOIS	ARABE
ressembler	resemble	parecerse	parecer-se com	相像	أشْبَهَ
résumer	summarise/sum up	resumir	resumir	总结	لخّصَ
réutilisable	re-usable	reutilizable	reutilizável	可再使用的	لخّص
réutiliser	re-use	reutilizar	reutilizar	再利用	أعاد استعمال
rivière, n. f.	river	río	rio	河	نهر
robinet, n. m.	tap	grifo	torneira	水龙头	صنبور
roi, n. m.	king	rey	rei	国王	ملك
rollers, n. m. pl.	rollerblades	patines	patins	旱冰鞋	زلاجات
romantique	romantic	romántico	romântico	富有浪漫色彩的	رومانسي
royaume, n. m.	kingdom	reino	reino	王国	مملكة
S					
salamandre, n. f.	salamander	salamandra	salamandra	蝾螈	سمندر
salon, n. m.	living room/exhibition	salón	salão	客厅	غرفة الضيوف
sapin, n. m.	fir tree	abeto	pinheiro	圣诞树	تنّوب
saumon, n. m.	salmon	salmón	salmão	三文鱼	سلمون
sauvage	wild	salvaje	selvagem	野蛮的	متوِحش
sauver	save/rescue	salvar	salvar	救	أنقذ
science, n. f.	science	ciencia	ciência	科学	عِلْمٌ
sculpture, n. f.	sculpture	escultura	escultura	雕塑	منحوِتة
se promener	walk around	pasearse	passear	散步	تجوّل
sécheresse, n. f.	drought/dryness	sequía	secura	旱灾	جفاف
secrétariat, n. m.	secretarial office	secretaría	secretariado	秘书处	سكرِتارية
sérieux	serious/important	serio	sério	严肃的	جدّيٌّ
siècle, n. m.	century	siglo	século	世纪	قَرن
site touristique, n. m.	tourist attraction	sitio turístico	local turístico	旅游景点	قَرْنٌ
ski, n. m.	ski	esquí	esqui	滑雪	تزلج على الجليد
slogan, n. m.	slogan	eslogan	slogan	标语	شعار
solution, n. f.	solution	solución	solução	解决方法	حل
sondage, n. m.	poll/survey	sondeo	sondagem	测验	سبر آراء
souhaiter	wish/hope for	desear, querer	desejar	希望	تمنّى
spéléologie, n. f.	caving/potholing	espeleología	espeleologia	洞穴学	علم استكشاف الكهوف
stéréotype, n. m.	stereotype	estereotipo	estereotipo	铅板	صورة نمطية
surveillant, n. m.	supervisor	vigilante	vigilante	监理人	مُراقِبْ
T					
tard	late	tarde	tarde	晚	متأخر
témoignage, n. m.	account/evidence	testimonio	testemunha	见证	إدلاء بشَهَادَة
terrasse, n. f.	terrace/balcony	terraza	terraço	露天咖啡座	شرفة
terrien, n. m.	landowner	rural	terreno	地球人	صاحب أراض
tigre, n. m.	tiger	tigre	tigre	老虎	نمر
timide	shy/timid	tímido	tímido	腼腆的	خجول
tonne, n. f.	ton	tonelada	tonelada	吨	طن
tour, n. f.	tower	torre	torre	城楼	برج
touriste, n. m.	tourist	turista	turista	游客	سائح
tradition, n. f.	tradition	tradición	tradição	传统	تقليد
trait, n. m.	feature/line	trazo, rasgo	traço	线条	خط
transmettre	transmit	transmitir	transmitir	转达	بَلّغَ
tri, n. m.	sorting	clasificación, selección	selecção	分拣	فرْز
trier	sort	seleccionar	seleccionar	分拣	فرْزٌ
U					
uniforme, n. m.	uniform	uniforme	uniforme	制服	زي
usine, n. f.	factory	fábrica	fábrica	工厂	مصنع
V					
vérité , n. f.	truth	verdad	verdade	事实	حقيقة
vice-versa	vice-versa	viceversa	vice-versa	反之亦然	العكس صحيح
victime, n. f.	victim	víctima	vítima	受害者	ضحية
visiter	visit	visitar	visitar	参观	زَارَ

Living Things

Teacher's Guide

Written by
Judy Onody, Robbie Olivero, Saryl Jacobson

Edited by
Peter Williams, Ray Bowers, Denis Cooke

Illustrated by
Pottery Chan

GTK Press

Toronto

GTK Press
18 Wynford Drive, Suite 109
Don Mills, Ontario, Canada M3C 3S2
Tel: (416) 385-1313
Fax: (416) 385-1319
Email address: star@gtkpress.com
http://www.gtkpress.com

Editorial Committee
Peter Williams
Ray Bowers
Denis Cooke

Authors
Judy Onody
Robbie Olivero
Saryl Jacobson

Cover Design and Illustrations
Pottery Chan

Acknowledgements
FIVE SENSES. Copyright © 1996 Meish Goldish. Used by permission of Scholastic Professional Books.

Canadian Cataloguing in Publication Data
Onody, Judy
Living Things. Teacher's guide

(Science & technology activities resource; 37)
For Grade 1.
ISBN 1-894318-37-4

1. Biology – Study and teaching (Elementary).
I. Jacobson, Saryl II. Olivero, Robbie III. Williams, Peter
IV Bowers, Ray V. Cooke, Denis VI. Title.
VII. Series.

QH51.O56 2000 Suppl. 570 C00-900814-4

Printed and bound in Canada. Text stock contains recycled paper.

STAR

Science & Technology Activities Resource

STAR has been written to support The Ontario Curriculum, Grades 1-8: Science and Technology (1998).

The Resource promotes a hands-on approach to learning about science and technology through a series of investigations. The science and technology investigations involve the students in concrete experiences, where the students learn basic science and technology concepts, develop skills of scientific inquiry and technological design, and relate science and technology to the world outside the school.

The Study of Science and Technology

Science involves investigating and explaining the living and physical components of the world. Through STAR, the students learn that scientific understanding is built on existing knowledge and experience, and that it progresses through observation, careful analysis, and safe practice. They see that although this process is often gradual and the result of systematic thinking, creative thinking also plays a major role in advancing scientific understanding.

Technology has had a significant impact on humans, affecting all our lives. STAR shows the students that technology involves the design, use, and evaluation of objects and materials that may enhance their lives and extend their capabilities.

Both science and technology involve the application of knowledge, skills, and values. The diagram on the following page shows the relationship between Science and Technology.

The Skills of Inquiry and Design

STAR develops the students' skills of inquiry in science and design in technology. Although there are many approaches to these processes, in this program they can be summarized as follows:

In the Inquiry Process, the students:

- explore a variety of situations
- develop questions
- predict possibilities about their questions
- plan an investigation based on their predictions
- carry out the investigation
- interpret their observations about the investigation and develop conclusions
- communicate and evaluate their conclusions with others
- apply the conclusions to new situations

In the Design Process, the students:

- explore a variety of situations
- define the problem
- investigate different aspects of the problem and develop possible solutions
- choose a solution, then design and build a model to test the solution
- evaluate the model to see if it solves the problem and modify the model if necessary

The Relationship Between Science and Technology and their Connection to Educational Goals

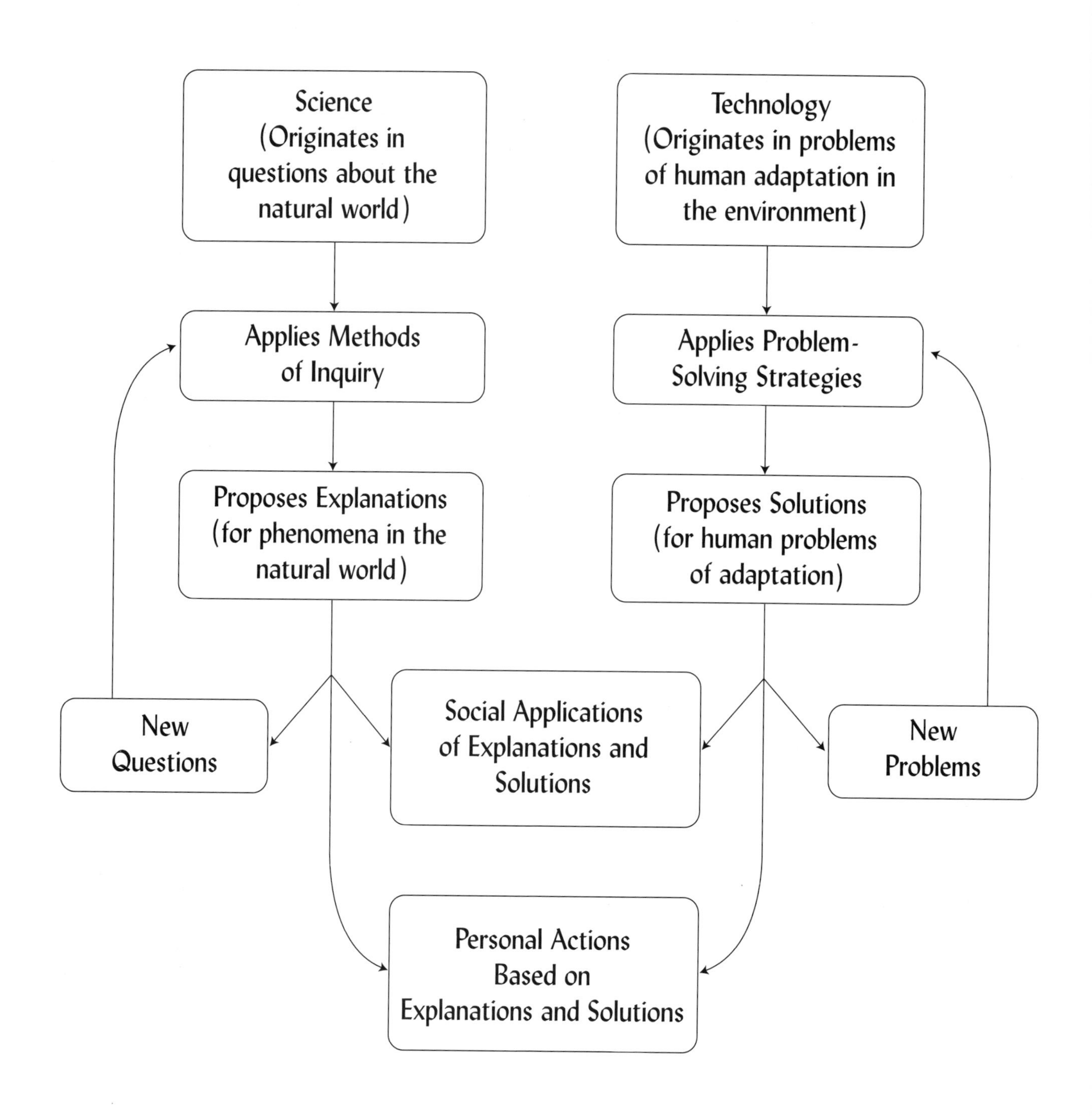

The Primary Grades STAR Program

Teacher's Guide

The guide is an essential part of the Grades 1-3 program. For every grade level, it gives detailed information on ten lessons, each of about 90 minutes' duration, that develop the topics outlined in the Science and Technology Curriculum.

Each lesson is developed as an Investigation and incorporates:

1. A **Key Idea** that summarizes the student's learning.
2. Major **Specific Expectations** from the Science and Technology Curriculum that apply to the Investigation. A summary of the coverage of all the Specific Expectations stated in the Curriculum appears at the beginning of the topic.
3. **Background Information** useful to the teacher to put the Investigation in context.

4. A **Materials** list of the materials and equipment needed for the Investigation.
5. **Safety** symbol to suggest necessary precautions in the activity.

6. **Activities** that involve the students in investigating the topic using the skills of inquiry and design.

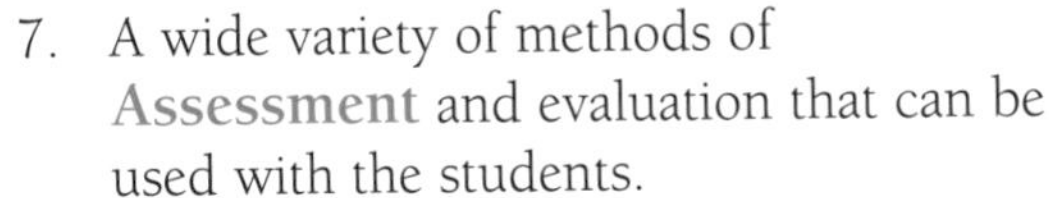

7. A wide variety of methods of **Assessment** and evaluation that can be used with the students.

8. Opportunities to extend the Investigation through a **More To Do** section. Career integration is included here.
9. **Curriculum Connections** that show possible points of integration with other subject areas particularly in Mathematics and Language.

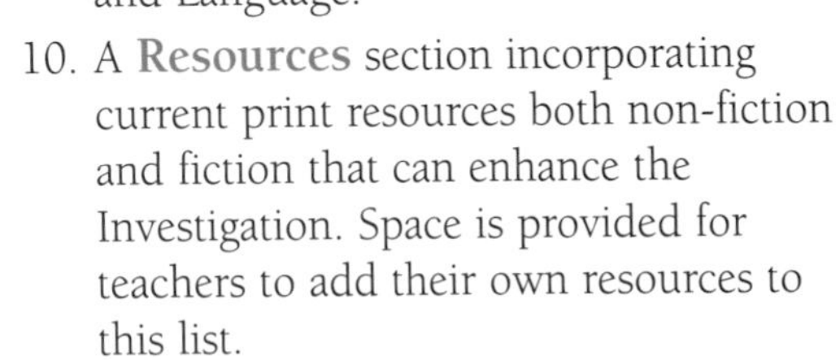

10. A **Resources** section incorporating current print resources both non-fiction and fiction that can enhance the Investigation. Space is provided for teachers to add their own resources to this list.

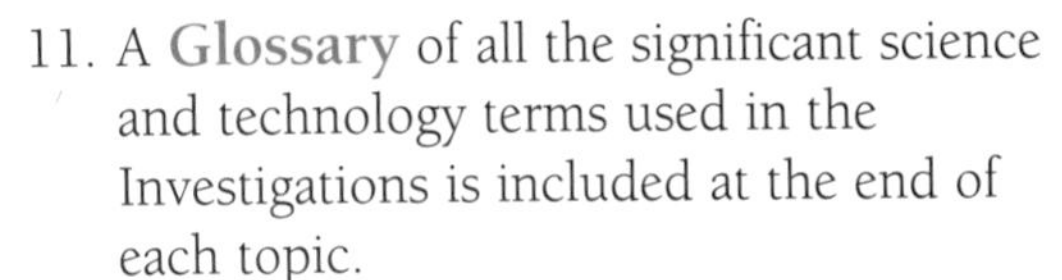

11. A **Glossary** of all the significant science and technology terms used in the Investigations is included at the end of each topic.

Science and Technology Student Journal

The Science and Technology Student Journal is an important component of the Primary Grades STAR program. The Journal allows the students to consolidate their learning for each Investigation through writing, reading and visual forms of communication. Each Investigation in the Student Journal is divided into three sections: 1. An Introduction; 2. An Activity component; 3. A Storyboard review developed using different formats.

The teacher can use the "You Are Great!!" section of the Journal to track student progress through the topic and use this information in their formative and summative assessment of the student. The Student Journal has a back pocket to store any additional student work developed in the Unit. The Journal is also an important link between school and the home showing parents/caregivers what the student has been accomplishing in the science and technology program.

The Junior Grades STAR Program

The Student Text

The text is an essential part of the Grades 4-6 program. For each grade level, it gives the students detailed information in ten lessons, each of about 90 minutes' duration, that develop the topics outlined in the Science and Technology curriculum. Every lesson contains many colour photographs to make the activity even more appealing to the students.

Written in an interesting and engaging manner, each lesson is developed as an Investigation and incorporates:

1. A **Did You Know** section that puts the lesson in context.
2. A **Challenge** that presents the students with a problem to investigate using the skills of inquiry and/or design.
3. A **What You Need** list of materials needed for the Investigation.
4. A **Safety First** warning to remind the students to take care during the Investigation.
5. The **Investigation** itself, giving detailed instructions, both written and diagrammatic, to the students about how to carry out the activities.
6. A **Recording & Reflecting** section that guides the students to record the findings in the Investigation.
7. A **More To Do** section for the students who wish to extend the Investigation further.
8. A **Tell Me More** section reviewing the concepts and principles taught in the Investigation.
9. A **Glossary** of all the significant science and technology terms used in the lessons is included at the end of each topic.

The Teacher's Guide

The guide is an important part of the Grades 4-6 program. For each grade level, it gives detailed background information about the ten Investigations, and incorporates:

1. A **Key Idea** that contains the science and technology concepts developed in the Investigation.
2. **Specific Expectations** from the Science and Technology Curriculum that apply to the Investigation.
3. **Background Information** useful to the teacher to put the Investigation in context. For more information read the "Tell Me More" section in the student text.
4. A **Challenge** that identifies what the students are to investigate.

5. A **Materials** list of the materials and equipment needed for the Investigation.

6. A **Safety** checklist to remind the students about what to look out for during the Investigation.

7. **Activities** suggestions and helpful hints on how to make the Investigation proceed smoothly.

8. **Recording and Reflecting** with suggested answers for the student responses to this section.

9. A wide variety of **Assessment** that can be used with the students. A progress sheet for the Investigations, included at the end of the guide, can be filled out by both the student and the teacher as a record of the work done in this topic.

10. **More To Do** suggestions to extend the Investigation.

11. **Curriculum Connections** that show possible points of integration with other subject areas.

At the end of the guide are:

12. A **Resources** section incorporating current print resources, both non-fiction and fiction, that can enhance the Investigation.
13. A **Glossary** of all the significant science and technology terms used in the Investigations.
14. **Blackline Masters**
    - A variety of Assessment sheets
    - A Student Progress sheet

The Science & Technology Student Portfolio

It is highly recommended that each student keep a Science and Technology Portfolio. The Portfolio would include:

1. The student's Science and Technology notebook.
2. Assessment items from each Investigation.
3. Diagrams and items such as pictures or photographs that are also part of an Investigation.
4. The Student Progress Sheet.

The Portfolio can be used during interview time to share the student's progress in the topic.

Importance of Safety

STAR puts safety first in all the Investigations. However, it is important that the students continually show that they have the knowledge and skills to safely participate in science and technology activities. They can do this by:

- maintaining a well-organized and uncluttered work space;
- following established safety procedures;
- identifying possible safety concerns;
- suggesting and implementing safety procedures;
- carefully following the instructions for the activities given in the text or by the teacher;
- consistently showing concern for their own safety and that of others.

Is Science and Technology being learned here?

If you walked into a classroom, how would you recognize that the class or a group of students were engaged in a science and technology activity as opposed to any other activity?

The answer to the question is in two parts. The first part is there must be opportunities in the classroom to learn science and technology. The second part is that science and technology is being developed from the opportunities.

The students have opportunity for learning science and technology where they are:

- handling materials themselves, both living and non-living;
- designing, making or manipulating apparatus using a variety of materials including found materials;
- moving around freely and finding the materials they need;
- discussing their work with each other or with the teacher;
- busy doing things which they feel are important;
- trying to work out for themselves what to do in each step, and not expecting to be told what to do;
- puzzling over a question or a problem; and
- comparing their ideas or observations with those of others.

Science and Technology is being developed where the students:

- have a clear idea of what they want to find out, investigate, or create;
- take the initiative in suggesting what to do and how to set about doing it;
- try out ideas "to see what happens" and perform "fair" tests;
- observe things closely – perhaps watching, listening, touching, smelling;
- try different ways of approaching a problem;
- classify things according to their properties or characteristics;
- make records of what they find out or observe;
- use instruments in aiding observation or measurement;
- devise and apply tests to find out what things will do;
- plan, design, and build models to solve problems;
- make predictions of what they expect to find or to happen;
- look for evidence to support the statements they make;
- try to quantify their observations; and
- confirm their findings carefully before accepting them as evidence.

The combination of the STAR Program and you, the teacher, will give your students the opportunity to both learn and develop science and technology!

Environmental Education

STAR recognizes the importance of teaching about environmental concerns. Consequently, the program has introduced an environmental focus into appropriate Investigations throughout. This environmental focus concentrates on the issues and concepts the students can understand and actions which they can reasonably carry out. Thus, the Investigations include caring for the environment by emphasizing, among others, the saving of energy; conservation of water; reducing, recycling, and reusing materials; and the proper care of plants and animals.

Life Systems

Strand Overview: Grades 1 – 3

The Life Systems strand combines the study of traditional topics in life science or biology with technology as it relates to basic human needs. It integrates the study in science with the use of materials in technology. Students move from aspects of life science that pertain to everyday life and progress to more global or abstract aspects. Throughout the grades, students investigate the interactions between living things and their environment. In Grade 1, students are introduced to the characteristics and needs of living things. They use their senses to explore aspects of movement and behaviour in humans and other animals, learn about their nutritional requirements, and explore some basic aspects of animal and plant growth. In Grade 2, students focus on patterns of growth and changes that take place in different types of animals. They compare patterns of growth in different animals with their own growth, and learn about the conditions needed to support healthy development in an animal. In Grade 3, students focus on the characteristics and requirements of a wide variety of local plants and study their patterns of growth. They also learn about the importance of plants as sources of food and shelter for people and animals, and as suppliers of much of the world's oxygen.

Comparison of Grades 1, 2, and 3 Investigations

Grade 1 Living Things	Grade 2 Animals	Grade 3 Plants
1. **The Human Machine** Identifying the main parts of the human body and matching the function of these parts with those of animals.	1. **The Mystery Of The Mealworms** Observing the complete life cycle of an animal.	1. **The Sum Of The Parts** Identifying the major parts of plants and describing their basic functions.
2. **It Makes Sense!** Identifying the five senses.	2. **Who's Who In The Mini-Zoo?** Collecting and caring for real animals.	2. **Visible To The Eye** Classifying plants according to visible characteristics.
3. **On The Move!** Examining and identifying the ways different animals move.	3. **Likes And Dislikes!** Finding out about preferences and needs of small animals.	3. **From Beginning To End** Exploring the life cycle of plants and the parts of plants used to produce products.
4. **Living It UP!** Examining and identifying the needs of living things and the variety of ways that humans are similar to other living things.	4. **For The Birds!** Observing birds and comparing to other life cycles.	4. **Incredible Edibles** Exploring the parts of plants used in food preparation and places where they can be grown.
5. **Up Close!** Using magnifying glasses to observe a variety of living things closely.	5. **On The Wing, Again!** Observing the life cycles of butterflies and moths.	5. **The Four Seasons** Exploring the effects of seasons on plants and various settings where crops are grown.
6. **Classification Station** Sorting and classifying a variety of living things.	6. **Pet Parade** Looking at mammals.	6. **Survival Of The Fittest** Comparing the life cycles of different plants.
7. **Watch Us Grow!** Identifying and comparing ways in which living things grow and change.	7. **Changing Their Ways** Exploring migration, hibernation, and camouflage of animals.	7. **Unique Traits** Identifying the traits in plants that remain constant as they grow, and functions of plants in their local area.
8. **Pattern Patrol** Observing and identifying patterns in nature.	8. **What Animals Need** Identifying environmental features needed for growth and change.	8. **Changing The Environment** Describing how plant growth is affected by environmental conditions.
9. **Healthy Habits** Demonstrating an awareness that healthy eating habits help body growth.	9. **Living Together** Investigating how animals and humans need each other.	9. **What's In Common?** Exploring the interdependence of plants/animals, and the common requirements of all living things.
10. **Caring Kids!** Demonstrating awareness of healthy living and caring for the environment.	10. **Animal Attraction!** Designing and building a model environment for an endangered animal.	10. **Solar Greenhouse** Designing and building a solar greenhouse for plants.

Living Things

In this topic of the Science and Technology Curriculum for Grade 1, the students will focus on the characteristics of all living things and the basic needs of plants, animals and human beings. Students are introduced to the parts of the body and asked to make connections between human body parts and those of animals, both in form and function.

Time is dedicated to the five senses. Once again, our young students need to relate their experiences to that which they know — their own sense of smell, touch, hearing, sight and taste. They are challenged to explore the characteristics of animals through their senses and to recognize that animals use their own senses. Students are then introduced to many animals through a trip to the local zoo or a nature walk.

Each student will experience caring for and nurturing a living plant as they germinate and grow a bean plant of their own. This activity may span much longer than the recommended time for this unit and teachers may want to set up a "Garden Centre" where the growth of the plants can be observed and enjoyed for several weeks after the unit is completed. Integration is recommended by adding the students' stories and charts to the display as the plants grow. Suggestions for extension of the investigations are provided and options are presented to assist with assessment of individual investigations. A final performance assessment is included for the culmination of the unit. In it, the students will design posters based on their understanding of healthy living habits.

A very important aspect of any Science and Technology program is safety. All safety considerations must be taken into account when using tools and equipment.

All of the Ontario Science and Technology Expectations for Life Systems: Characteristics and Needs of Living Things, are covered within these ten Investigations — many of them more than once. The following page outlines all the Investigations where the Overall and Specific Expectations are covered. Specific Expectations also appear at the beginning of each Investigation where they most apply. These expectations should be used when reporting to parents.

While print resources are included with each Investigation, many teachers may wish to add additional books, stories, songs, poems, videos, software and websites of their own. Space is provided at the end of each Investigation to record these for future use. Students should use the Science and Technology Student Journal for recording explorations and observations.

Ontario Curriculum of Science and Technology

Overall Expectations

By the end of Grade 1, students will:

- demonstrate an understanding of the basic needs of animals and plants;
- investigate the characteristics and needs of animals and plants;
- demonstrate awareness that animals and plants depend on their environment to meet their basic needs, and describe the requirements for good health for humans.

	SPECIFIC EXPECTATIONS By the end of Grade 1, students will:	INVESTIGATIONS									
		1	2	3	4	5	6	7	8	9	10
Understanding Basic Concepts	identify major parts of the human body and describe their functions;	●									
	identify the location and function of each sense organ;		●								
	classify characteristics of animals and plants by using the senses;		●		●	●	●				
	describe the different ways in which animals move to meet their needs;			●							
	identify and describe common characteristics of humans and other animals that they have observed, and identify variations in these characteristics;	●			●						
	describe some basic changes in humans as they grow, and compare changes in humans with changes in other living things;							●		●	
	describe patterns that they have observed in living things.								●		
Developing Skills of Inquiry, Design, and Communication	select and use appropriate tools to increase their capacity to observe;					●			●		
	ask questions about and identify some needs of living things, and explore possible answers to these questions and ways of meeting these needs;		●		●			●			
	plan investigations to answer some of these questions or find ways of meeting these needs;							●			
	use appropriate vocabulary in describing their investigations, explorations and observations;	●					●			●	●
	record relevant observations, findings, and measurements, using written language, drawings, charts, and concrete materials;	●		●	●	●					
	communicate the procedures and results of investigations for specific purposes, using demonstrations, drawings, and oral and written descriptions.	●				●					●
Relating Science and Technology to the World Outside the School	compare the basic needs of humans with the needs of other living things;				●			●			
	compare ways in which humans and other animals use their senses to meet their needs;		●	●		●			●		
	describe ways in which people adapt to the loss or limitation of sensory or physical ability;								●		
	identify a familiar animal or plant from seeing only a part of it;						●				
	describe ways in which the senses can both protect and mislead;								●		
	describe a balanced diet using the four basic food groups outlined in Canada's Food Guide to Healthy Eating, and demonstrate awareness of the natural sources of items in the food groups;									●	
	identify ways in which individuals can maintain a healthy environment for themselves and for other living things.										●

How the Life Systems Module Fits into the Whole Grade 1 Program

Strand	Basic Concepts	Inquiry/Design	Real-World Connections
Life Systems	Demonstrate an understanding of the basic needs of animals and plants.	Investigate the characteristics and needs of animals and plants.	Demonstrate awareness that animals and plants depend on their environment to meet their basic needs, and describe the requirements for good health for humans.
Matter and Materials	Distinguish between objects and materials, and identify and describe the properties of some materials;	Investigate the properties of materials and make appropriate use of materials when designing and making objects.	Describe the function of specific materials in manufactured objects that they and others use in daily life.
Energy and Control	Demonstrate an understanding of ways in which energy is used in daily life.	Investigate some common devices and systems that use energy and ways in which these can be controlled manually.	Describe different uses of energy at home, at school, and in the community, and suggest ways in which energy can be conserved.
Structures and Mechanisms	Demonstrate awareness that structures have distinctive characteristics.	Design and make structures that meet a specific need.	Demonstrate understanding of the characteristics of different structures and of ways in which they are made, and recognize and use some systems in the home or at school.
Earth and Space Systems	Demonstrate an understanding of changes that occur in daily and seasonal cycles and of how these changes affect the characteristics, behaviour, and location of living things.	Investigate changes that occur in a daily cycle and in a seasonal cycle.	Describe how living things, including humans, adapt to and prepare for daily and seasonal changes.

Materials List for Living Things

Required for each student group

1. The Human Machine
   - chart paper
   - markers
   - magazine pictures of body parts: feet, hands, eyes, mouths, ears, legs, arms, etc.
   - tape
2. It Makes Sense!
   - construction paper
   - glue
   - popsicle sticks
   - crayons
   - scissors
   - chart paper
   - markers
3. On The Move!
   - collection of animal books
   - chart paper
   - markers
4. Living it UP!
   - a field trip or appropriate films and videos
5. Up Close!
   - bean seeds
   - containers (clear plastic cups are best)
   - paper towels
   - water
   - soil
   - watering cans
   - popsicle sticks
   - rulers
   - chart paper
   - markers
   - magnifying glasses
6. Classification Station
   - a wide variety of pictures of animals and plants (from books, magazines, calendars or other sources)
   - classification cards (e.g., index cards 7.5 cm x 12.5 cm for grouping characteristics)
   - markers
   - videos of animals and plants
   - classroom and school garden plants
7. Watch Us Grow!
   - books about changes or baby animals (many are listed in resources)
   - photographs of the students
   - (optional) camera and film
8. Pattern Patrol

   Activity 1
   - pineapple
   - two apples
   - daisy
   - pinecone
   - orange
   - picture of a turtle's back
   - magnifying glasses

   Activity 2
   - grapefruit
   - orange peel
   - paper bag
9. Healthy Habits!
   - food pictures from magazines
   - Canada's Food Guide
   - food group cards: grain products, vegetables & fruits, milk products, meat and alternatives
   - glue
   - scissors
10. Caring Kids!
    - poster paper
    - markers
    - crayons
    - paint
    - construction paper

Living Things

Table of Contents

Icons Used In This Guide

Specific Expectations – understanding basic concepts

Specific Expectations – developing skills of inquiry, design, and communication

Specific Expectations – relating science and technology to the world outside the school

Key Idea

Activities

Materials

Safety Symbol

Assessment

More To Do

Curriculum Connections

Resources

The Human Machine

Students will recognize and identify the main parts of the human body and match the function of these parts with those of animals.

Specific Expectations

By the end of Grade 1, students will:

- identify major parts of the human body and describe their functions;
- identify and describe common characteristics of humans and other animals they have observed, and identify variations in these characteristics;

- use appropriate vocabulary in describing their investigations, explorations and observations;
- record relevant observations, findings, and measurements, using written language, drawings, charts, and concrete materials;
- communicate the procedures and results of investigations for specific purposes, using demonstrations, drawings, and oral and written descriptions.

Background Information

The human body is made up of many parts. In this Unit the focus will be on the major body parts — mouth, foot, arm, leg, nose. The function of these parts will be emphasized. The students will collect information about their bodies, and these should be utilized during this unit.

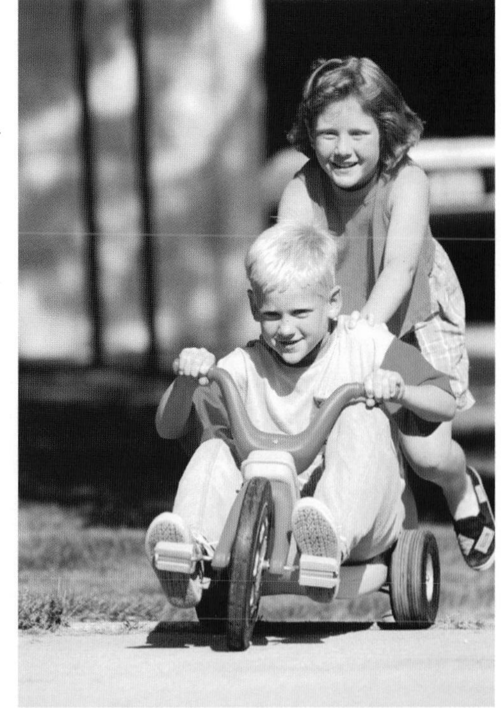

Many of the body parts of animals are the same as those of humans, but many animals use their bodies in different ways. For instance, animals can't talk like humans, but they make sounds when they are frightened, threatened or even when they are happy.

The Activity

1. Gather the students together to look at the picture on page 2 of their Science and Technology Student Journal. Discuss what different parts of our bodies do for us.
2. Begin this activity by gathering the students together to sing a song (The Hokey Pokey Song, Head and Shoulders or, If You're Happy and You Know It) or to share a poem (Jack Prelutsky's "Be Glad Your Nose Is On Your Face" from his book, *The New Kid On The Block)* about our bodies.
3. Sharing the songs and poems will enable the students to develop awareness of their bodies.
4. After sharing and discussing the words in the poem and songs, make sure that the students are aware of the names of the major body parts through this fun game.
   a) On chart paper, or on the board, make a simple outline of a human body.
   b) Using pictures of the body parts clipped from magazines, ask the students to choose a body part, name it and tape it on the human body in the locations where it belongs. Printed words may be included on the chart as well.
5. Have the students create a similar human body collage on page 3 of their Student Journals.
6. Place another piece of chart paper beside that of the one developed in 4 a) and ask the students to name the animal body parts that correspond to the human body parts. In many cases, the names will be the same (as in eyes or heart) but other parts will need new names like "snout" for nose, "wing" for arm, and "claw" or "paw" for hand. Ask the students to name an animal that has this body part and tell where they have seen it.
7. Now ask the students to match the words with the drawings on page 4 of their Student Journal. This is another opportunity to help students with word recognition.

After the Activity

Students can share in a writing game. Ask them to name parts of their body and to tell what that body part is able to do. Their prior knowledge is quite extensive here, but assist them with some details if necessary. Make sure each student gives one answer and record it on a long chart with the student's name in brackets beside it. This list should be displayed for all to refer to during other investigations. For example:

- The arm can lift heavy things. (Joan)
- The legs help us to walk and run. (Billy)

Ask the students to look at the Storyboard on page 5 of their Student Journal to find some ideas to help them here.

- chart paper
- markers
- magazine pictures of body parts: feet, hands, eyes, mouths, ears, legs, arms, etc.
- tape

Science and Technology Student Journal
Pages 2 - 5

1. Ask the students to complete the chart on page 5. Assessment will be based on identification of the body parts and understanding of their function. Students should draw a picture of the body part or identify it on their own body. Then they can complete the sentence in the second column by saying what the body part allows them to do. The final column allows the students to draw a picture of that action.
2. Use the "Match the Names" on page 4 of the Student Journal to further assess if the students can identify the named body parts.

Mix up pictures of human body parts with pictures of animal body parts. Have the students create "crazy creatures" and ask them to decide which creature they think is the funniest and tell why they think so. The students will identify creatures as funny because they have been given parts that are not realistic.

LANGUAGE
Reading:
- express clear responses to written materials, relating the ideas in them to their own knowledge and experience

Prelutsky, Jack. *The New Kid On The Block.* Toronto, Canada: Scholastic Inc., 1987. ISBN 0-590-40836-4

Evans, David and Williams, Claudette. *Me and My Body.* Toronto, Canada: Scholastic Inc., 1992. ISBN 0-590-74513-1

Moses, Brian. *Topic Box: My Body.* England: Wayland Publishers Ltd., 1995. ISBN 0-7502-1241-1

Cole, Joanna. *The Magic Schoolbus: Inside The Human Body*. New York and Canada: Scholastic Inc., 1989. ISBN 0-590-4126-7

Parsons, Alexandra. *An Amazing Machine.* New York: Franklin Watts (Grolier), 1996. ISBN 0-531-14375-9

Parsons, Alexandra. *My Wonderful Body.* New York: Franklin Watts (Grolier), 1996. ISBN 0-531-14409-7

Songhurst, Hazel. *Bodies.* Sussex, England: Wayland Press, 1993. ISBN 0-7502-0755-8

Additional Resources:

____

____

____

INVESTIGATION 1
My Body Parts for "The Human Machine"

Student Name: ______________________ Date: ______________

This is my arm. It helps me

____

____

Here is a picture.

These are my legs. They help me

____

____

Here is a picture.

This is my

____

____

____

This is my

____

____

____

Investigation 2

It Makes Sense!

Students will identify the five senses and how to use them to identify plants and animals. Students will also recognize that animals use their senses as well.

Specific Expectations

By the end of Grade 1, students will:

- identify the location and function of each sense organ;
- classify characteristics of animals and plants by using the senses;

- ask questions about and identify some needs of living things, and explore possible answers to these questions and ways of meeting these needs;

- compare ways in which humans and other animals use their senses to meet their needs.

Background Information

At this grade level, the five senses are revisited many times in Science and Technology and in other curriculum areas as well. The students should be able to identify their eyes, ears, nose, mouth and fingertips as the main areas for their sensory reception. More detailed explanations may be given if the students require additional information. For example, the mouth is not the **sensory organ**, but rather the tongue contains receptors for taste. All sensory messages are delivered to the brain in order to make judgements and decisions. If our nose detects smoke, the brain will interpret this as fire and help us decide what action should be taken.

The Activity

NOTE: Five centres and the poem *Five Senses* on chart paper should be prepared in advance of this lesson.

Five Senses *by Meish Goldish*
When you look and when you see, use your eyes.
When you look and when you see, use your eyes.
When you look and when you see
All the things there are to see,
When you look and when you see, use your eyes.

When you listen and when you hear, use your ears.
When you listen and when you hear, use your ears.
When you listen and when you hear
All the things there are to hear,
When you listen and when you hear, use your ears.

When you touch and when you feel, use your hands.
When you touch and when you feel, use your hands.
When you touch and when you feel
All the things there are to feel,
When you touch and when you feel, use your hands.

When you eat and when you taste, use your tongue.
When you eat and when you taste, use your tongue.
When you eat and when you taste
All the things there are to taste,
When you eat and when you taste, use your tongue.

When you sniff and when you smell, use your nose.
When you sniff and when you smell, use your nose.
When you sniff and when you smell
All the things there are to smell,
When you sniff and when you smell, use your nose.

1. Set up five centres with construction paper, glue, scissors and popsicle sticks.
2. Assign the students to each centre.
3. Small activity signs can be made in advance to tell the students what to do, or they may be instructed as a class to make: Eyes at the first centre, Ears at the second centre, a Tongue at the third centre, a Nose at the fourth centre, and Hands at the fifth centre. Each of the students will mount their "sense organ" on a popsicle stick to make Sense Puppets.
4. Allow time for the creative process and keep in mind that students making eyes, ears and hands will need two popsicle sticks each.
5. When their Sense Puppets are completed, gather the students with their puppets and have them sit where they can view the poem, *Five Senses* on chart paper. Parts of the poem are also found on page 6 of the Student Journal which can be used as a shared reading.

- construction paper
- glue
- popsicle sticks
- crayons
- scissors
- chart paper
- markers

Science and Technology
Student Journal
Pages 6 - 9

6. This poem is an excellent vehicle for dramatizing the five senses. It can be sung to the tune of, "If You're Happy And You Know It" and is taken from *101 Science Poems and Songs For Young Learners*.
7. Students should be encouraged to stand up and sit down again as the sense puppet they made is mentioned. (For example, the students with the eye puppets would jump up at the mention of "eyes" and then sit back down until "eyes" is mentioned again.)
8. Once the game ends, the class should review the five senses by completing the worksheet on page 7 of the Student Journal. Students can also draw pictures of how their senses help them to smell, taste, touch, see, and hear in order to classify different animals.
9. Now examine how our senses help us to classify animals. We see animals with two legs and animals with four legs. We can feel animals with fur (cats) and animals with feathers (budgies).
10. Ask the students to draw pictures of animals that they can classify on page 8 of their Student Journal.

After the Activity

1. Gather the students together again to discuss how they use their senses; to smell supper cooking, to see the weather outside, to hear danger (sirens sounding), to feel the temperature to know what to wear, to taste things that they enjoy or dislike. A collective chart can be made of how we use our senses.
2. Extend the students' imagination and ask them how animals use their senses. They smell food, feel the temperature, hear danger, see what is all around them and taste their food. Animals' senses are even more accurate than humans' because they must protect themselves from danger and find food in the wild.
3. This would be a good time to share books about animals and their defenses (see Resources in Investigation 3 on page 12 of this Guide.)
4. Ask the students to look at the Storyboard on page 9 of their Student Journal and tell how these senses would help classify the animals.

1. Using an assortment of pictures from magazines, ask the students to tell what senses people in the pictures are using. Students may write a sentence to explain.
2. Then have the students describe how other animals use that sense. Students may wish to discuss specific animals.
3. Use 1 and 2 to assess the students' ability to identify the use of the senses and to translate the use of the senses to other living things. This is an informal assessment which can be performed with small groups, individual students at risk, or as a general task on paper.

Set up a "Sensory Centre". Have the students explore their sense of:

- smell using strong smelling fruits. Be careful of allergies.
- touch using a variety of rough, smooth, hard and soft materials
- hearing using a variety of common noises inside and outside the classroom
- sight using a variety of pictures
- taste using a variety of vegetables. Be careful with allergies

LANGUAGE
Writing:

- communicate ideas for specific purposes

Goldish, Meish. *101 Science Poems and Songs for Young Learners*. Toronto, Canada: Scholastic Professional Books, 1996. ISBN 0-590-96369-4

Martin, Terry. *Why Do We Laugh?* London, England: A Dorling Kindersley Book, 1996. ISBN 0-7513-5457-0

Pluckrose, Henry. *Exploring Our Senses: Smelling/Hearing/Seeing/Tasting/Touching Series*. USA: Gareth Stevens Publishing, 1995.
Smelling. ISBN 0-8368-1289-1
Hearing. ISBN 0-8368-1287-5
Seeing. ISBN 0-8368-1288-3

Songhurst, Hazel. *Senses*. London, England: Wayland Publishers Ltd., 1993. ISBN 0-7502-0764-7

Gates, Phil. *Animal Senses*. Great Britain: Cambridge Reading: Cambridge University Press, 1996. ISBN 0-521-49934-8

Additional Resources:

____

____

____

On The Move!

Students will examine and identify the way different animals move.

Specific Expectations

By the end of Grade 1, students will:

- describe the different ways in which animals move to meet their needs;

- record relevant observations, findings, and measurements, using written language, drawings, charts, and concrete materials;

- compare ways in which humans and other animals use their senses to meet their needs.

Background Information

This is an excellent opportunity to read books, share stories about animals, and build extensive vocabulary with the students about how animals move. Collections of books, videos and pictures will serve as excellent resources for sharing. Any animal stories and books will do, but the resource list, found at the end of this Investigation, will help with selections. Guided reading and shared reading of many of these books would be easier with multiple copies, but charts and big books can be made by the students and teacher if resources are limited.

The Activity

1. Have the students look at the pictures on page 10 of the Student Journal together and discuss how animals move.
2. Bring the students together to discover and share the collection of animal books that have been brought to the classroom.
3. Allow the students to read and share the books amongst themselves and then gather small groups together to read some books to them.
4. When ample time for sharing has been allowed, bring the students together again to discuss their findings about animals and how they move differently.
5. Brainstorm a chart of words describing "How do animals move?": Run, Jump, Hop, Slither, Swim, Leap, Climb…
6. Once all of their ideas are on the chart, ask the students to decide if there is a way to group them into categories to make a new chart.
7. In groups, ask the students to draw pictures of "Animals That Run", "Animals That Swim", "Animals That Fly". Students should be encouraged to add their own ideas.
8. Groups will have chart paper of their own and markers or other writing instruments to add to the collective charts.
9. Students may add the names of the animals that they draw.
10. Once the charts are collected and displayed around the room, students can complete the sentences on page 11 of their Student Journal by referring to the words on the charts.

After the Activity

1. Students can participate in checking the chart on page 12 of the Student Journal to review what human and animals have in common.
2. Gather the students together to discuss their charts and ask them if animals do things differently or in the same way as humans.
3. Another chart can be created to determine how animals and humans are alike or differ in how they move. Use the pictures shown on the Storyboard on page 13 of their Student Journal to see how people and animals can move in similar ways. (Babies and turtles can crawl, kids and rabbits can hop.)

- collection of animal books
- chart paper
- markers

Science and Technology
Student Journal
Pages 10 - 13

1. Ask the students to complete the chart on page 13 of this Guide with animals that meet each criteria.
2. Students are assessed on their ability to recall and draw a picture of an animal that matches each criteria. This can be administered as a teacher-student conference, or a whole class quiz.

Students may be taken outside or to the gym to move like the various animals that have been discussed in class.

LANGUAGE
Writing:
- write simple but complete sentences

MATHEMATICS
Data Management and Probability:
- compare, sort, and classify concrete objects according to a specific attribute
- record data on charts or grids given by the teacher using various recording methods

Theodorou, Rod. *Animal Legs*. Crystal Lake, Ill. U.S.A.: Rigby, 1998. ISBN 0-7635-2279-1

Hewitt, Sally. *It's Science!: All Kinds of Animals*. USA: Children's Press (Grolier), 1998. ISBN 0-516-21175-7

Byrne, David. *How Animals Move*. Crystal Lake, Ill. U.S.A.: Rigby, 1998. ISBN 0-7635-2353-4

Gibbs, Bridget. *All Kinds of Eyes*. Crystal Lake, Ill. U.S.A.: Rigby, 1998. ISBN 0-7635-2286-4

Hughes, Monica. *Encyclopedia of Tiny Creatures*. Crystal Lake, Ill. U.S.A.: Rigby, 1998. ISBN 0-7635-2298-8

Milton, Joyce. *All Aboard Reading Series: Snakes, Bats, Big Cats, Gorillas*. New York, N.Y.: Grosset & Dunlap, 1993. ISBN 0-448-40513-X, 0-448-40193-2

Additional Resources:

___

___

___

INVESTIGATION 3
Assessment Chart for "On The Move"

Student Name: ______________________________ Date: __________________

This animal has feathers and can fly.	This animal has fins and can swim.
This animal has fur and can run fast.	This animal has a shell and walks slowly.

Living It UP!

Students will examine and identify the needs of living things and the variety of ways that humans are similar to other living things.

Specific Expectations

By the end of Grade 1, students will:

- classify characteristics of animals and plants using the senses;
- identify and describe common characteristics of humans and other animals that they have observed, and identify variations in these characteristics;

- ask questions about and identify some needs of living things, and explore possible answers to these questions and ways of meeting these needs;
- record relevant observations, findings, and measurements, using written language, drawings, charts, and concrete materials;

- compare the basic needs of humans with the needs of other living things.

Background Information

All living things need air, water and food to survive. Different species have different specific needs to survive in their **habitat**. Many animals share a similar body design and their sense organs are similar in function to humans. Plants use sunlight to make food. Humans and animals use the food provided by plants for nourishment and growth. Fur provides warmth for some animals much as clothing provides warmth for humans. Our inner body temperature control can function to protect us from extreme conditions. Some animals have special **characteristics** much like humans. Animals have wide varieties of body coverings and humans have a variety of skin, eye and hair colours.

The Activity

1. Have the students look at page 14 of the Student Journal and discuss the many kinds of living things that exist in the world!
2. Plan a trip to the zoo, a farm, or simply go on a nature walk to view many living things.
3. Allow the students to observe and discuss the characteristics of animals and plants that they see.
4. After the walk or class trip, allow the students time to complete page 15 of their Student Journal by drawing pictures of both animals and plants, and adding words about what they saw on their excursion.

- a field trip or appropriate films and videos

Science and Technology
Student Journal
Pages 14 - 17

After the Activity

1. Gather the students together to discuss their observations and compare them with that of human beings. Remind the students of our different skin colour, hair colour and eye colour. Ask them how this compares with animals and plants. (Students will recognize that plants can change their colour and animals have a variety of colours of body coverings.)
2. Ask the students to record their observations of one animal that they saw and complete the activity on page 16 of their Student Journal.
3. Gather the students together to share their "Diary of an Animal" page and share the pictures on the Storyboard on page 17 of their Student Journal. Discuss the things that living things need to live.

1. Show the students pictures of animals and ask them to identify specific animal body parts.
   Example: wing, paw, fin, tail, hoof
2. Then ask the students to use good describing words to tell how the animal would feel, sound or move.
   Example: soft, bumpy, rough
3. Assess the students on their use of vocabulary.
4. Use the Assessment "Living It UP" on page 17 of this Guide to record your observations.

Have the students discuss pets in a large group. Charts can be made to record how we look after our pets' needs. Remind the students that many of these needs are similar to ours. Pets need care, food, water, exercise, and a warm place to sleep. Allow the students to ask questions about pets if they do not have any of their own.

LANGUAGE

Oral and Visual Communication:

- communicate messages and follow basic instructions and directions
- apply some of the basic rules of participating in conversation and working with others

Theodorou, Rod. *Animal Legs.* Crystal Lake, Ill. U.S.A.: Rigby, 1998. ISBN 0-7635-2279-1

Hewitt, Sally. *It's Science!: All Kinds of Animals.* USA: Children's Press (Grolier), 1998. ISBN 0-516-21175-7

Chandler, Clare. *How To Choose A Pet.* Crystal Lake, Ill. U.S.A.: Rigby, 1998. ISBN 0-7635-2355-0

Additional Resources:

____

____

____

INVESTIGATION 4
Assessment for "Living It UP!"

Student Name: ______________________ Date: ______________

Criteria	A Little	Some	Mostly	Completely
Student uses correct words for animal parts.				
Student uses many descriptive words.				
Student has extensive prior knowledge.				
Student shows interest in new vocabulary.				

Teacher's Comments: ______________________________________

____

____

____

Up Close!

Students will use magnifying glasses to closely observe a variety of living things.

Specific Expectations

By the end of Grade 1, students will:

- classify characteristics of animals and plants by using the senses;

- select and use appropriate tools to increase their capacity to observe;
- record relevant observations, findings, and measurements, using written language, drawings, charts, and concrete materials;
- communicate the procedures and results of investigations for specific purposes, using demonstrations, drawings, and oral and written description;

- compare ways in which humans and other animals use their senses to meet their needs.

Background Information

The type of experience to bring to the classroom for this strand depends on the location of the school and the prior experiences of the students. Teachers may wish to provide only the seeds for growing and observing plants for this lesson. Others may wish to allow the students to collect insects in closed containers for observation. Depending on the time of year that this strand is investigated, students may observe animals outdoors. Some teachers may feel comfortable with bringing in an aquarium with fish for observation. Others may wish to allow the students to observe a hamster or rabbit.

The Activity

1. Gather the students to discuss the picture of a magnifying glass on page 18 of the Student Journal. Discuss why we use a magnifying glass. What does it do? Encourage the students to use magnifying glasses during the activity.
2. Provide each student with a bean (soaking them overnight beforehand can speed up germination).
3. Allow each student to "plant" their bean in damp paper towels in a cup. Write each student's name on the cup to prevent mix-ups.
4. Have each student record the day of planting in their Student Journal on page 19. This page will provide a record of the growth of the plant for many days to come.
5. After the bean forms roots, the students should re-plant their bean into a small container of soil and place it on a windowsill or in a sunny location in the classroom. (Be sure to label their bean using a popsicle stick in the soil)
6. Students should observe, discuss, measure and make predictions about their plants.
7. Daily observations of growth can be recorded on a class chart in a central location near the beans and plants. Students should water and care for their own plants.
8. While some students are planting, or observing and recording, the other students may be writing stories about their beans and sharing books about growing plants.
9. This activity can be done in groups rather than individually if desired. One group can be planting at the planting centre, while another records at the growing centre, and another shares a book with the teacher.
10. The recording of the growth of plants may take several weeks. Allow the students time to observe, record, and revisit their Student Journal over the next several weeks. Teachers may wish to move on in this unit and return to complete this lesson in later weeks. Students should record their bean plant observations on page 20 after several weeks of growth.

After the Activity

1. Students should gather again when the plants have grown. Plants can be measured and recorded on a chart and then made into a graph of the smallest to the tallest.
2. Have the students discuss the various sizes of plants shown on page 21 of the Student Journal. Tell the students that the pictures are not shown to scale.

Use the rubric on page 21 in this Guide to assess the student's progress at this point in the Unit.

- bean seeds
- containers (clear plastic cups are best)
- paper towels
- water
- soil
- watering cans
- popsicle sticks
- rulers
- chart paper
- markers
- magnifying glasses

Science and Technology
Student Journal
Pages 18 - 21

1. Other live specimens may be observed and observations recorded according to the individual needs of the class. Insects are easy to observe and class charts of their growth, characteristics, changes, and needs can be recorded daily.

Insects or other small animals should not be kept for more than a few days. Food, water, and air should be provided for them at all times.

2. If pets are kept in the classroom, daily care and observation can be an experience that lasts the whole year. For example, the care and feeding of fish in an aquarium can be kept on a rotating job chart. This should also apply to hamsters, rabbits, or an ant farm. Providing the opportunity for students to observe life in classroom is a rewarding experience that can last well beyond this unit and expand into many curriculum areas. As always, safety precautions and sanitary conditions must apply.

Students should wash their hands with warm water and soap after handling animals or their cages/tanks.

LANGUAGE

Reading:

- understand the vocabulary and language structures appropriate for this grade level

Jenkins, Rhonda. *Growing A Plant Discovery World.* Crystal Lake, Ill. U.S.A.: Rigby, 1998. ISBN 0-7635-2292-9

Glover, David. *Looking At Insects Discovery World.* Crystal Lake, Ill. U.S.A.: Rigby, 1998. ISBN 0-7635-2354-2

Gibbons, Gail. *From Seed To Plant.* New York, N.Y.: Holiday House, 1991. ISBN 0-823408-72-8

Kalman, Bobbie. *How A Plant Grows.* New York: Crabtree Publishing Co., 1997. ISBN 0-86505-628-5

Ontario Science Centre Book. Starting With Science: Plants. Toronto, Canada: Kids Can Press, Ltd., 1994. ISBN 1-55074-193-4

Bolton, Faye and Snowball, Diane. *Growing Radishes and Carrots.* Sydney, Australia: Mondo Publishing, 1986. ISBN 1-57255-108-9

Green, Robyn. *Caterpillars.* Sydney, Australia: Mondo Publishing, 1986 ISBN 1-57255-106-2

Brenner, Barbara. *Thinking About Ants.* New York, N.Y.: Mondo Publishing, 1997. ISBN 1-57255-209-3

Additional Resources:

____

____

INVESTIGATION 5
Assessment Rubric for "Up Close!"

Student Name: ______________________ Date: __________

Criteria	Level 1	Level 2	Level 3	Level 4
Understanding of basic concepts Student can identify different parts of the animal or plant using the senses.	Limited in using the senses to identify animals and plants.	Uses the senses to identify parts of animals and plants some of the time.	Uses the senses to identify parts of animals and plants with frequent accuracy.	Identifies plants and animals by using the senses and can classify them by texture, colour, size and sound.
Inquiry and design skills Student can select and utilize magnifying glasses and rulers to study and observe living things.	Demonstrates limited use of tools to assist observation of living things.	Uses magnifying glasses and rulers to some extent during observation.	Uses magnifying glasses and rulers to assist with observation of living things.	Uses magnifying glasses and rulers to make observations and thorough descriptions.
Communication of required knolwdge Student is able to record observations using measurements, written language, drawings and charts.	Communicates observations to a limited extent using oral language and/or drawings.	Records own observations using some written language, drawings and charts.	Records own observations using measurements, written language, drawings and charts most of the time.	Records own measurements on charts, with drawings and written language to support investigations.
Relating to the outside world Student is able to identify and compare the basic needs of all living things.	Demonstrates limited understanding of the comparison between living things and their basic needs.	Demonstrates some understanding of living things and their comparative needs.	Identifies and compares the basic needs of living things.	Identifies and compares the basic needs of living things and suggest ways of providing these needs.

Teacher's Comments:

____

____

Classification Station

Students will sort and classify living things using a variety of different categories.

Specific Expectations

By the end of Grade 1, students will:

- classify characteristics of animals and plants by using the senses;

- use appropriate vocabulary in describing their investigations, explorations and observations;

- identify a familiar animal or plant from seeing only a part of it.

Background Information

This Investigation will help students with their observation skills. The game in this Investigation will help students develop and use the proper vocabulary for describing various animal and plant groups and features and will introduce them to the process of **classification** of living things.

The Activity

1. Discuss the groupings (classification) of animals and plants on page 22 of the Student Journal. (NOTE: concepts of animal classification were introduced in Investigation 2 in the "After the Activity" on page 8 of this Guide and pages 8 and 9 of the Student Journal.)
2. Gather the students together with as many pictures, markers and cards as available.
3. Begin demonstrating the game by holding up a picture of an animal.
4. Ask the students to identify the animal by name and record it on a Classification Card.
5. On the back of the card, ask students to identify characteristics of the animal. For example, a cat:

Number of legs	4
Body Covering	Fur
Moves by	Leg power
Other body parts	Eyes, ears, mouth
Other characteristics	Sleeps a lot

6. Repeat the process about 10 times.
7. Now go back to an earlier Classification Card and read the information to the students without showing them the picture or the name of the living thing! See if the students can identify the living thing.
8. Continue in this fashion and mix cards to play again at another time.
9. These cards can be easily stored at a centre called "The Classification Station" and used again and again by the students to quiz each other.
10. A variation of the game would be to cover the picture and only show one part of the animal.
11. Students can now make up some of their own animal classification cards on page 23 of their Student Journal.
12. Continue this process using plants. The students may not have the same background about plants as they do with animals. They will probably have limited knowledge about the names of plants. Some plants they might recognize are dandelions, daisies, geraniums, tulips, daffodils, spider plants, ivy plants. Thus the Classification Cards for plants will be more limited in scope. For example, a flowering Dandelion:

Leaves	Yes	Green
Flowers	Yes	Yellow
Stem(s)	Yes	One
Seeds/Berries	No	—

- a wide variety of pictures of animals and plants (from books, magazines, calendars or other sources)
- classification cards (e.g., index cards 7.5 cm x 12.5 cm for grouping characteristics)
- markers
- videos of animals and plants
- classroom and school garden plants

Science and Technology Student Journal Pages 22 - 25

After the Activity

1. Students will enjoy reusing these cards in classifying games. More cards can be added as the students learn about other animals and plants throughout the school year. Special attention can be paid to the proper names of animal and plant parts as they are required. For instance, if insects are being observed, the words feelers and crawl could be added to charts of a word wall in the class. If birds are being discussed, wings and nest could be displayed.
2. Students can draw their favourite animal or plant on page 24 of their Student Journal and label its body parts. Teach them how to label an animal by looking at and sharing the dog photo on page 25 of the Student Journal.

Use the Worksheet on page 25 in this Guide, ask the students to draw, colour, and label an apple tree using the proper names for its parts.

trunk	leaves
branches	flower
roots	fruit

Make a class booklet of the students' favourite animals or the plants found in a vegetable garden. Ask the students to complete a page on which they draw and label their picture. A short written description can be included on each page. This book can be laminated and kept in the class library to share again and again!

MATHEMATICS

Patterning and Algebra:

- recognize similarities and differences in a variety of attributes

Data Management and Probability:

- compare, sort, and classify concrete objects according to a specific attribute

Llewellyn, Claire. *Amazing Eyes Discovery World.* Crystal Lake, Ill. U.S.A.: Rigby, 1998. ISBN 0-7635-2285-6

World Book Encyclopedia CD Rom. Chicago: Work Book International, 2000. ISBN 0-7166-8481-0

Additional Resources:

____

____

____

INVESTIGATION 6
Label an Apple Tree for "Classification Station"

Student Name: ______________________ Date: ______________

Draw and colour an apple tree.

Label your apple tree using the following words.

trunk	roots	flowers
branches	leaves	fruit

Investigation 7

Watch Us Grow!

Students will identify and compare ways in which living things grow and change.

Specific Expectations

By the end of Grade 1, students will:

- describe some basic changes in humans as they grow, and compare changes in humans with changes in other living things;

- ask questions about and identify some needs of living things and explore possible answers to these questions and ways of meeting these needs;
- plan investigations to answer some of these questions or find ways of meeting these needs;

- compare the basic needs of humans with the needs of other living things.

Background Information

Students could be asked to collect photographs from home of how they looked as infants. Discussions of changes in our bodies as we grow will be varied depending on the background of the students. Babies, as they grow, are eventually able to control their muscles so they can walk. Later, baby teeth fall out to provide for bigger and stronger ones. Hands, arms, legs and feet increase in size and strength in order to support a larger, growing body. Our muscles develop to help us do work. Our bodies grow more hair. As teenagers we develop "adult" bodies and eat much more. As adults we may have families of our own.

Students will know about other examples of growth and change. For example, many insects change from egg to larva, to pupa, to adult. Frogs change from egg, to tadpole living in the water, to adult frog which can live in the water or breathe air on land.

The Activity

1. Have the students look at the stages of growth of human beings on page 26 of the Student Journal. Discuss how we change as we grow.
2. Gather the students together to share a book about the stages of a butterfly. One good example is Eric Carle's *The Very Hungry Caterpillar,* probably available in most school libraries.
3. Have the students discuss the changes that take place in the stages of a butterfly's life.
4. A chart comparing a butterfly's stages of life with those of other animals can be made to display in the classroom.
5. Students can "play act" the life of a butterfly by beginning as a tiny egg (curled up in a tight ball with their bodies), then hatching as a tiny caterpillar (crawling all over the floor very slowly), then building a little house (chrysalis) around themselves to go to sleep in (wrapping themselves in imaginary cloth), then suddenly bursting out as a beautiful butterfly.
6. The same play acting can be done for an egg to a chicken, and an egg to a frog.
7. As the students begin to understand the stages of growth and the changes that take place, they may be invited to share pictures of themselves as infants and discuss the changes that take place in human growth.
8. Have the students complete the chart of the life stages of a butterfly on page 27 of their Student Journal.

After the Activity

1. The students may wish to develop a bulletin board of their baby photos and include stories about their early life. This bulletin board may be extended to have students draw and write about what they would like to be in the future. Later, these pictures and stories can be stored in the pocket at the back of the Student Journal. Page 28 of the Student Journal provides a space to glue in a photograph of each student or they may draw themselves as they are now. Students can write stories about things that have happened to them.
2. Look at the Storyboard on page 29 of the Student Journal and discuss the pictures of things the students did as infants and things they can do now.

- books about changes or baby animals (many are listed in resources)
- photographs of the students
- (optional) camera and film

Science and Technology
Student Journal
Pages 26 - 29

1. Ask the students to complete a picture-story booklet of a butterfly, frog, or human being.
2. Use the template provided on page 29 of this Guide.
3. Use the booklet to assess the students' concepts of growth and change.

Students can draw the stages of life of many plants and animals on strips of paper. They can then be cut into sections to sort and sequence.

LANGUAGE
Reading:

- retell a simple story in proper sequence and recall information in it accurately
- use pictures and illustrations to determine the meaning of unfamiliar words

Carle, Eric. *The Very Hungry Caterpillar.* New York, N.Y.: Philomel Books, 1979. ISBN 0-300208-53-4

Chase, E.N. *The New Baby Calf.* Toronto, Canada: Scholastic Inc., 1990. ISBN 0-590736-78-7

Tuxworth, Nicola. *Let's Look At Baby Animals.* New York: Lorenz Books, 1996. ISBN 1-85967-265-5

Bennett, Paul. *Nature's Secrets: Changing Shape.* Hove, England: Wayland Publishers Ltd., 1994. ISBN 0-7502-1062-1

Douglas & McIntyre. *Eye Openers: Baby Animals.* England: A Dorling Kindersley Book, 1992. ISBN 1-55054-209-5

See How They Grow. DK Vision, Dorling Kindersley, 1995.
Farm Animals. ISBN 1-564067-22-X
Insects and Spiders. ISBN 1-564067-26-2
Wild Animals. ISBN 1-564067-27-0
Pond Animals. ISBN 1-564067-27-0

Additional Resources:

____

____

____

INVESTIGATION 7
Booklet for "Watch Us Grow!"

Student Name: ______________________ Date: ______________

Here is A ______________
When it first begins its life.

____

____

As it grows, it looks like this ______________

____

____

This is what happens next.

____

____

Now it looks like this.

____

____

Pattern Patrol

Students will observe and identify patterns in nature and then recognize that we sometimes take these patterns for granted. Our senses can mislead us as well as protect us.

Specific Expectations

By the end of Grade 1, students will:

- describe patterns that they have observed in living things;

- select and use appropriate tools to increase their capacity to observe;

- compare ways in which humans and other animals use their senses to meet their needs;
- describe ways in which people adapt to the loss or limitation of sensory or physical ability;
- describe ways in which the senses can both protect and mislead.

Background Information

Students may recognize that there are **patterns** in life as well as visible patterns in the collection of objects observed in the classroom. These items should be collected in advance to have on hand for demonstration. If they are unavailable, pictures from magazines will do. Patterns in nature are often based on **symmetry** but some patterns in nature are also based on other models.

As humans, we tend to rely on sensory patterns that we understand to be true. The students are introduced to the fact that our senses can be fooled. For example, a small grapefruit can feel the same as a large orange. Orange peels, can smell like the orange itself. When we have a cold, our sense of smell is very limited! People whose senses are limited in some way often learn to adapt by relying more on their other senses.

Activity 1: Looking for Patterns

1. Discuss the pictures of students using magnifying glasses to observe the structure of things on page 30 of the Student Journal. Use these pictures to illustrate what is meant by "patterns" in nature.
2. Have the students observe the many items that have been displayed for them first by eye and then with a magnifying glass.
3. Ask the students to see, feel and recognize patterns in the items.
4. Make sure that the orange is sliced so the students can see the internal pattern of symmetry.
5. Halve one apple horizontally and the other vertically so that the students can see the pattern of seeds as well as the symmetry of the core.
6. Ask the students to record all of their patterns in their Student Journal on page 31.

Activity 2: Making Sense

1. Put a small grapefruit into a bag or under a blanket and ask the students to take turns feeling it without looking. Many may predict that it is an orange.
2. Show them that their senses may fool them! In fact, grapefruits may be very small.
3. Place some fresh orange peels into a paper bag and ask the students to predict what is inside. Many may say that it is an orange.
4. Show them that it is only the peel and that our senses can fool us!
5. Remind the students of how they feel when they have a bad cold. Can they smell anything?
6. Ask them how they know that dinner is ready?
7. We all find other ways of using our other senses if one sense is not working well. People who cannot walk can use their arms to push the wheels of a wheelchair. People who cannot see often use their other senses to get them around. Even animals find ways of using their other senses if one is not meeting their needs. Remind the students of dogs who can push on a door to get at food they smell. Discuss how people communicate using sign language because they cannot hear or speak.
8. Ask the students to remember how our senses can help us detect danger and have them complete page 32 of their Student Journal.
9. Use the Storyboard on page 33 of their Student Journal to discuss how people adapt to the loss or limitation of their sensory or physical abilities.

Activity 1
- pineapple
- two apples
- daisy
- pinecone
- orange
- picture of a turtle's back
- magnifying glasses

Activity 2
- grapefruit
- orange peel
- paper bag

Science and Technology
Student Journal
Pages 30 - 33

After the Activity

Collect photographs of interesting patterns in nature. Have the students look at them and share other examples of patterns they have observed. Students may wish to copy some of the patterns on pattern cards, to add to the pattern centre. (Also remind the students of the patterns found in Investigation 7 Everyday Structures, Grade 1).

1. Using the Assessment for "Pattern Patrol" on page 33 of this Guide, ask the students to complete an investigation of a pattern using any objects or pictures from nature, e.g., pineapple, bean pods, cucumber.
2. Assess their use of vocabulary, their ability to draw what they see, and their communication of their results. Use the levels a little, some, mostly, completely.

1. The students can all contribute to setting up a nature centre. They can collect leaves, flowers, pinecones, birds' nests, seashells, or any other interesting items to view and observe. These centres provide free exploration and also encourage observational skills. Recording sheets can be supplied at the centre for the students to draw what they see. Nature books of all kinds can be added to the centre for additional interest levels.
2. Students could be asked to discuss a home fire escape plan with their family. They must recognize that their sense of hearing, smell, sight and touch can save their lives!

MATHEMATICS

Patterning and Algebra:

- explore patterns and pattern rules
- identify relationships between and among patterns
- describe, draw and make models of patterns using actions, objects, diagrams and words

Bennett, Paul. *Textures*. London, England: Wayland Publishers Ltd., 1993. ISBN 0-7502-0512-1

Pluckrose, Henry. *Math Counts*. USA: Pattern Watts Books, 1995. ISBN 0-516-05455-4

Additional Resources:

____

____

____

INVESTIGATION 8
Assessment for "Pattern Patrol"

Student Name: ______________________ Date: ____________

Here is the pattern I see.

Draw the pattern.

Words I use to describe the pattern.

____

____

____

Healthy Habits

Students will demonstrate an awareness that healthy eating habits help growth.

Specific Expectations

By the end of Grade 1, students will:

- describe some basic changes in humans as they grow and compare changes in humans with changes in other living things;

- use appropriate vocabulary in describing their investigations, explorations, and observations;

- describe a balanced diet using the four basic food groups outlined in Canada's Food Guide to Healthy Eating, and demonstrate awareness of the natural sources of items in the food groups.

Background Information

The students should be exposed to items in Canada's Food Guide and how they are grouped. A demonstration of healthy eating habits should be linked to growth in humans.

The Activity

1. Ask the students to turn to page 34 of their Student Journal to discuss Canada's Food Guide.
2. Gather the students together in groups with magazines and scissors.
3. Each group can be assigned the task of clipping out pictures of one of the food groups. Teachers may prefer to have students cut out pictures from all the food groups.
4. As they accumulate pictures, prepare a bulletin board space on which the food group cards are displayed.
5. Ask the students to add their pictures to the space under the food group where they belong.
6. Students should glue some of the extra pictures onto page 35 of their Student Journal.

After the Activity

1. Gather the students together to discuss healthy eating habits. This may have been done in other areas of the curriculum, or it may be integrated here. Discuss with the students the importance of eating all types of foods in order to grow and develop into healthy individuals. Ask them to plan a daily menu in their own "healthy" restaurant and complete page 36 of their Student Journal. They can give the restaurant a name and tell what they would serve for breakfast, lunch, and dinner.
2. Use the Storyboard on page 37 of their Student Journal to discuss with the students the importance of eating the right foods to help the growth of humans.

- food pictures from magazines
- Canada's Food Guide
- food group cards: grain products, vegetables & fruits, milk products, meat and alternatives
- glue
- scissors

Science and Technology
Student Journal
Pages 34 - 37

Provide the students with packaging from various foods and five bins in which to sort them. Ask the students to sort the foods into their food groups. (Pictures may be used if real items are unavailable.) Assess the students using the checklist on page 37 of this Guide.

Trace the "life" of one food with the students. Choose bread or milk as many resources are available on these. Begin with how the wheat grows or how the calf is born, and continue to trace the processing from farm to table. Some videos are readily available on these subjects.

HEALTH AND PHYSICAL EDUCATION
Healthy Living:

- identify healthy eating habits
- identify the food groups and give examples of foods in each group
- recognize that rest, food and exercise affect growth

Videos:

Milk: From Farm to You. Encyclopedia Britannica Educational Corp.

Bread: From Farm to Table. Mother Earth Productions, 1994.

Where Food Comes From. Porpoise Bay Productions, Dr. Suzuki, 1991.

Additional Resources:

____

____

____

INVESTIGATION 9
Assessment for "Healthy Habits"

Student Name: ______________________ Date: ____________

	A Little	Some	Mostly	Completely
Student is able to recognize major food groups.				
Student sorts foods by food group.				
Student communicates proper names of food.				

Teacher's Comments:

____

____

____

Caring Kids!

Students will demonstrate awareness of healthy living and caring for the environment.

Specific Expectations

By the end of Grade 1, students will:

- use appropriate vocabulary in describing their investigations, explorations, and observations;
- communicate the procedures and results of investigations for specific purposes, using drawings, demonstrations, and oral and written descriptions;

- identify ways in which individuals can maintain a healthy environment for themselves and for other living things.

Background Information

The students examine healthy habits that keep them safe and happy. But they need to be directed beyond their immediate environment, to that of animals and plants outdoors. Bring to their attention that all forms of **pollution** hurt wildlife. Straws, pop cans, plastic packaging and balloons can be very harmful to small animals and birds. Garbage can damage our waterways and be very unpleasant to look at. Litter in our school yard can bring many gulls that disturb us at play during recess.

The Activity

1. Discuss the healthy habit of hand washing on page 38 of the Student Journal.
2. Make a large collective poster or mural on healthy habits in the classroom. The students can offer suggestions and add drawings and words to the poster or mural.
3. They should highlight things such as "covering your mouth when you sneeze", "washing your hands often", "never sharing drinks".
4. These class habits can be entered into their Student Journals on page 39.
5. Gather the students together again and ask them about healthy habits outside the classroom. Things like playing safely and taking turns, being careful when crossing the street can all be discussed.
6. Direct their ideas towards being "Caring Kids" to the environment. Ask what they can do to help protect plants and animals, our air and water, and even our playground!
7. Once they have brainstormed ideas, ask the students to turn to page 40 of their Student Journal to plan a "Caring Kids" poster. Pass out poster paper and have them create "Caring Kids" posters to display around the school to remind others to be "caring kids" too!

After the Activity

1. Gather the students together to share their posters. Display them around the school!
2. Remind them of how important it is to care for the environment outside the school by looking at and sharing the Storyboard idea on page 41 of the Student Journal.

- poster paper
- markers
- crayons
- paint
- construction paper

Science and Technology
Student Journal
Pages 38 - 41

Use the culminating rubric on page 41 provided in this Guide to assess the students' overall progress through this topic. This together with the previous assessment sections will give a summative assessment for the student on the expectations for this Living Things Unit.

Plan a "Healthy Celebration" in which each student supplies a healthy snack for the others in the group. Revisit the posters, charts, and centres from the unit and celebrate LIFE!

LANGUAGE
Writing:
- produce short pieces of writing using simple forms

Oral and Visual Communication:
- create some simple media works

Qualter, Anne and Quinn, John. *Keep Clean!* London, England: Wayland Publishers Ltd., 1993. ISBN 0-7502-0872-4

Knowles, Barrie. *Staying Healthy*. London, England: Wayland Publishers Ltd., 1992. ISBN 0-7502-0434-6

Additional Resources:

____

____

____

INVESTIGATION 10
Assessment Rubric for "Caring Kids!"

Student Name: ______________________ Date: __________

Criteria	Level 1	Level 2	Level 3	Level 4
Understanding of basic concepts Student understands the basic needs of all living things.	Has limited grasp of basic needs of living things.	Has some understanding of the needs of living things.	Demonstrates a good understanding of the basic needs of all living things.	Understands and can easily communicate the needs of all living things.
Inquiry and design skills Student selects the appropriate tools with which to observe and record observations.	Needs assistance to select and use tools appropriately.	Needs some assistance in observing and recording observations.	Selects the tools needed for an observation task and needs little assistance to record observations.	Selects the appropriate tools with which to observe and records all observations accurately.
Communication of required knowledge Student uses oral and written language as well as drawings and charts to communicate results of investigations.	Demonstrates limited skill in all areas of communication.	Demonstrates some skill with various forms of communication.	Demonstrates skill with most forms of communication.	Uses oral and written language with skill and can construct drawings and charts to display results of investigations.
Relating to the outside world Student understands the five senses and healthy life habits.	Has limited awareness of healthy habits and/or understanding of the five senses.	Has some basic understanding of the five senses and healthy living habits.	Demonstrates a good understanding of the five senses and recognizes healthy habits in everyday life.	Identifies and understands the need for healthy lifestyle and has an excellent grasp of the location and use of the five senses.

Teacher's Comments:

____

____

GLOSSARY

Characteristics • The attributes or features of a thing; the way it looks, feels, moves.

Classification • To order into groups with common characteristics.

Habitat • A plant's or animal's natural environment.

Patterns • Regular arrangement of shapes and/or colours.

Pollution • Harmful substances deposited into the air or water or land.

Sensory organ • A part of the body which receives sense messages from the environment (e.g., the tongue, the skin, the ear, the eye and the nose.)

Symmetry • Having parts that correspond in size, shape, and position on either side of a dividing line or around a centre.